Petit traité d'intolérance

Les fatwas de Charb

Petit traité d'intolérance

Mort aux théoriciens du rire !

Ils sont nombreux, les philosophes de bistrot et les penseurs de fin de repas qui, à un tournant de la conversation, lâchent : « On peut rire de tout. » Malheureusement, la plupart du temps, cette sentence parfaitement imbécile ne se termine pas par un point, mais par une virgule : « On peut rire de tout, mais... » Déjà, qu'une baderne bouffie de suffisance nous autorise à rire de tout, c'est insupportable. Je n'ai pas besoin de ta bénédiction pour rire de ce dont j'ai envie de rire, mais en plus je n'ai pas forcément envie de rire de tout. Je ris de ce que je veux, quand je veux. Non seulement tu m'accordes une liberté que je suis capable de prendre tout seul, mais en plus tu y mets des restrictions. Neuf fois sur dix, le balourd finit sa phrase par « pas avec n'importe qui ». Le censeur pense lui-même faire preuve d'un humour délirant en reprenant la phrase qu'il attribue à Desproges : « On peut rire de tout, mais pas avec n'importe qui. » L'humoriste Desproges souffre du même problème que l'humoriste Jésus. Il est mort. De leur vivant, ces deux rigolos ont fait marrer des salles entières. Une fois disparus, des tristes cons se sont mis à répéter en boucle des extraits de leurs sketchs comme s'il s'agissait de commandements divins. Évidemment, celui qui « rit de tout, mais » rit de tout sauf des gens qui ont une verrue sur le nez. C'est vraiment trop dégueulasse de s'abaisser à ce genre de... de... bassesse ! Un rapide coup d'œil vous permettra de remarquer que votre Descartes de l'humour a lui-même un énorme bouton sur le nez. Si ce n'est pas le cas, menez l'enquête : sa femme, ou son gosse, ou sa mère, ou son chien doit avoir une verrue sur la truffe. Votre interlocuteur aura la même réaction si vous riez de son chien qui est cancéreux, mongolien ou socialiste. Le rire, c'est comme le cul, il y a toujours un curé autoproclamé pour tenter de vous imposer ses propres limites. L'amour dans le zizi, oui, mais pas dans les fesses.

Je crois que vous en serez d'accord, il faut lâcher une enclume sur le pied de ces théoriciens du rire en gardant son sérieux. *Amen.*

Mort à « Tu veux boire quekchose ? » !

Cette formule obligatoire que prononce la personne qui vous reçoit chez elle est déjà insupportable. « Tu veux boire quekchose ? » Vous avez à peine franchi la porte, vous avez encore le manteau sur le dos que votre hôte vous demande si vous voulez boire quekchose. « Un petit café, un jus de fruits, une bière, un verre d'eau ? Rien, t'es sûr ? T'es vraiment sûr ? » On a toujours l'impression à ce moment-là qu'on vous prend pour quelqu'un d'autre. Vous êtes un grand explorateur et vous venez de traverser à pied et sans une goutte de flotte le désert de Gobi. Pourtant, non, vous venez de trois rues de là, vous buvez consciencieusement vos deux litres de Contrex par jour et même ce midi vous avez pris un quart de rouge. Depuis récemment, cette manie de vouloir absolument abreuver le visiteur s'est étendue au client. Ce n'est plus seulement votre vieux pote, le voisin, votre grand-mère, votre collègue qui vous pose la soûlante question, mais le commerçant chez qui vous n'êtes pas venu boire un verre mais acheter des lunettes, un meuble ou une bagnole… Même chez le coiffeur on vous propose de boire quekchose. Mais lâchez-moi, bordel ! Si j'ai soif, je vous le dirai, merde ! En plus, neuf fois sur dix, c'est du café que l'abruti à qui vous n'avez rien demandé vous propose. Du café qui dix fois sur dix est absolument dégueulasse ! Fous-le-toi au derche, ton jus de fesses ! Ton hypocrite petite cérémonie de bienvenue me donne plutôt envie de me bourrer la gueule pour oublier la tienne ! Alors, vous demandez à l'opticien, qui vous propose gentiment un café au lieu de s'enquérir du modèle de lunettes que vous avez choisi, un verre de gin-fizz bien glacé. Un petit rire gêné, mais qui se voulait complice, viendra brouiller sa face de pet. Chez le coiffeur, la même chose : réclamez une coupe de champagne, et quand la bouche au collagène de la grosse patronne se tordra en un rictus désolé, faites-lui remarquer qu'avec les prix qu'elle pratique elle pourrait faire péter le bouchon !

Je crois que vous en serez d'accord, il faut pisser dans la bouche des perroquets qui à tout bout de champ vous proposent de boire quekchose. *Amen.*

Mort aux chaussures qui font mal !

Elle marche devant vous, et, curieusement, votre regard ne se porte pas sur son cul, ce qui, de la part d'un mâle hétérosexuel occidental conditionné par la publicité, est plutôt surprenant. Non, vous regardez ses chaussures. Des jolies chaussures toutes fines, toutes mignonnes, destinées évidemment à persuader, d'abord la femme qui les porte, puis l'homme qui les regarde, que leur propriétaire est élégante. Vous notez donc l'effort qu'a produit la femme qui marche devant vous pour éveiller une émotion chez l'autre. Mais ces pompes, sûrement très belles dans la devanture d'un chausseur, vous laissent froid. Pis, elles vous donnent des haut-le-cœur. En effet, un gros sparadrap déjà crasseux de la poussière du trottoir déborde de chaque chaussure. Ses escarpins lui ont râpé les talons jusqu'au sang. Elle souffre dans ses godasses trop neuves, trop petites ou trop cheap, mais sa mère lui a dit un jour : « Il faut souffrir pour être belle. » Alors, elle déguste sévère à chaque pas. Ce qui la fait tenir, c'est penser qu'elle est élégante dans ses instruments de torture. Raté. Elle est moche. Tout ce qui souffre est moche, les ignobles pansements qui pendouillent maintenant au cul de ses grolles sont là pour le prouver. Elle porterait des rangers confortables qu'elle serait dix fois moins atroce, la fille. Combien sont-elles à s'automutiler ainsi devant tout le monde ? Quel manque de pudeur ! Quel manque de classe ! Esclave volontaire de codes vestimentaires grotesques, la femme perd toute dignité et s'enlaidit. En essayant de devenir papillon, la chenille se transforme en ver de terre !

Je crois que vous en serez d'accord, il faut donner une leçon à ces gourdasses en leur clouant les pieds dans des sabots Scholl. *Amen.*

Mort aux lâchers de ballons !

Ses petits yeux chassieux sont levés vers le ciel. Indifférente au soleil qui lui crame la rétine, la foule attend le grand événement de ce week-end. Un sourire béat déforme sa gueule molle. Elle trépigne. Elle s'est rassemblée sur la grand-place pour célébrer l'anniversaire de la fin d'une guerre, ou bien le début du printemps, ou bien l'entrée dans l'Union européenne d'un petit pays de nazis buveurs de bière, ou bien les enfants victimes de pédophiles, ou bien la paix dans le monde. Le moment fort de la journée est arrivé : on lâche les ballons. Le ciel a la coqueluche. Des milliers de baudruches gonflées à l'hélium s'envolent sous les applaudissements du troupeau. Mais en moins d'une minute le vent a emporté les ballons hors de portée des yeux brûlés des spectateurs, qui commencent déjà à s'agglutiner autour de la buvette pour déguster une bière tiède. Et même deux. C'est que les bénéfices de la vente des boissons iront à une bonne œuvre. On est généreux. Pendant ce temps-là, les milliers de baudruches sont en route. Ils se pressent et dandinent leurs petits culs. Ils vont s'échouer sur des monts enneigés, se déchirer sur les cimes d'arbres centenaires, véroler une île paradisiaque, pourrir un désert immaculé, étouffer toutes sortes de bestioles marines, etc.

Parmi tous les tristes glands qui ont assisté au lancement de la nuée polluante, pas un n'a pensé qu'il contribuait à transformer la planète en dépotoir. Des milliers de kilomètres carrés jonchés de capotes multicolores explosées, tout ça pour un pitoyable orgasme d'une bande d'abrutis. Ils ont chargé les ballons de répandre dans le monde un symbole de paix, ou d'amour, ou de compassion, bref, un de ces symboles niais et vides de sens dont les foules consensuelles se repaissent. Ils n'ont finalement répandu que la laideur et la mort.

Je crois que vous en serez d'accord, il faut gonfler les intestins de ces ordures à l'hélium jusqu'à ce qu'ils explosent. *Amen.*

Mort aux uniformes de la circulation !

Qui a créé les uniformes des agents de la circulation qui officient à Paris ? Pour ceux qui n'ont jamais vu les sacs à patates qui recouvrent les guignols chargés de faire passer les voitures quand le feu est vert et de les faire s'arrêter quand il est rouge, imaginez un uniforme de flic de la police nationale. Un uniforme, qu'il soit de gendarme du monde, de majorette ou de rappeur, c'est rarement jojo. Celui de la police nationale, en plus d'être laid, n'est pas fonctionnel. Mais tout de même, la plupart des flics disposent d'un uniforme à leur taille. Je veux dire que les épaulettes sont sur les épaules et que les manches s'arrêtent aux poignets. Le costard de l'agent de circulation parisien est une parodie de celui du flic. Les épaulettes descendent sur les coudes et les manches font des moufles. Le pantalon en mauvais Tergal est retenu à la taille par une pauvre ceinture décorée d'une inutile matraque en plastoc pelé et d'une non moins inutile paire de menottes qui relève plus du gadget de sex-shop que de l'outil de travail. Le pantalon ainsi lesté laisse passer à la taille un bout de chemise tire-bouchonnée. La panoplie des agents de la circulation a une fonction : faire croire au public qu'ils disposent d'une autorité qu'ils n'ont pas. Ces uniformes n'impressionnent que les mères de ceux qui les portent, la plupart du temps de pauvres Blacks pas assez baraqués pour faire vigiles à la FNAC. Abandonnés au milieu de carrefours puants, ils laissent indifférents les chauffards, qui leur frôlent le cul et les insultent. Le bruit du trafic couvre les petits cris d'agonie que laisse échapper de temps à autre leur sifflet Toys'R'Us. En fringuant ces pauvres mômes en épouvantails, les autorités montrent tout le mépris qu'elles ont pour cet imbécile et pénible boulot, ainsi que pour ceux qui le font. Tu veux « t'intégrer », tu veux te sortir de ta cité sans avenir, alors estime-toi heureux qu'on te laisse te déguiser en sous-flic et bouger les bras sur les boulevards de la Ville lumière.

Je crois que vous en serez d'accord, il faut écorcher vif le responsable de l'achat de ces uniformes et faire de sa peau un blouson décent. *Amen.*

Mort aux rouleurs de pétard !

Il est minuit passé, c'est son heure. La rame du métro est quasi déserte. Il fait des efforts pour passer inaperçu. C'est le meilleur moyen qu'il a trouvé pour qu'on le remarque. Sur ses genoux, ses mandibules s'activent. Toutes les cinq secondes, elles marquent une pause. Sa petite tête inquiète se redresse alors nerveusement. Un temps d'arrêt à droite, un temps d'arrêt à gauche. Ses antennes n'ont pas détecté de prédateurs, les mandibules reprennent leur activité. On a affaire à un rouleur de pétard. Il y a deux sortes de rouleurs de pétard : celui qui fume pour oublier qu'il existe et celui qui fume pour exister. On est en présence d'un spécimen de la seconde catégorie. Ne nous lançons pas dans un débat sur la légalisation du cannabis, convenons tout de suite qu'il est idiot de faire du fumeur de joints un criminel. Ce pauvre garçon ne fait de mal à personne. En allumant sa clope, il fait juste tousser la grand-mère asthmatique qui se trouve sur la banquette voisine. Mais, bon, ça ne vaut pas les emmerdes qui vont lui tomber dessus quand les gros bras de la RATP le choperont à la station suivante. Allumer un pétard dans le métro est un sport à risque. Le gogol en pyjama Sergio Tacchini et casquette Lacoste le sait. Pourquoi prend-il alors le risque insensé de se manger un bourre-pif et de finir la nuit au poste ? Il est militant de la « cause » cannabique ? Non, c'est juste un tocard qui pense jouer les rebelles. Et les coups qu'il va se prendre dans la gueule seront les preuves qu'il est bien un rebelle. La vieille sur la banquette d'à côté fait tout pour l'ignorer, il en souffre. Il aimerait bien qu'elle râle, qu'elle se plaigne, mais elle a sûrement trop la trouille. C'est déjà ça, la trouille de la vieille est une forme de reconnaissance. Mais les miliciens qui vont lui éclater les dents sont ses vrais alliés. Avec eux, il pourra se prendre quelques secondes pour Scarface.

Je crois que vous en serez d'accord, afin d'aider ce genre de puceau de la pensée à exister, il faut l'obliger à fumer un bâton de dynamite dans le hall d'accueil du Medef. *Amen.*

Mort aux batailles d'experts !

Vous dînez avec des amis. L'ambiance est plutôt bonne, le vin coule à flots et les conversations vont bon train. Tous les sujets y passent. De l'histoire de cul de Machin à la promotion scandaleuse de Truc, en passant par l'opération des seins de Bidule – « Mais si ! Elle fait du bonnet G maintenant ! Comment ça, je confonds avec le point ! » – bref, vous voyez le genre. Il y en a bien un dans son coin qui essaye d'orienter le débat sur la future Constitution européenne, mais les autres réussissent rapidement à faire taire le triste sire. On lui porte un toast, on lui engouffre une tartine de foie gras dans la bouche, on lui tape dans le dos, on s'esclaffe, on se fout de sa gueule. Il remballe ses théories sur le prochain référendum pour vider son verre et mastiquer son pain. Et entre deux éclats de rire, on évoque de nouveau les mamelles de Bidule. « Du bonnet G, je vous jure ! » C'était trop beau pour durer. Alors qu'on en était arrivé aux seins de Samantha Fox – « Vous vous souvenez ? » –, un convive en profite pour amener la conversation sur le terrain musical… Et merde. Bon, ça commence gentiment. Deux abrutis se disputent à propos des mérites respectifs du rap et du punk. Peu à peu, le reste de la tablée prend part à ce qui est en train de devenir une vraie engueulade. Chacun défend son genre musical préféré en descendant tous les autres. Et quand deux rigolos sont d'accord pour dire que la pop, c'est cool, ils s'étripent avec le couteau à fromage parce que le premier est fan de Franz Ferdinand et que le second ne jure que par Muse. Je vous épargne les noms de groupes les plus confidentiels, les détails les plus pointus sur leur façon de jouer de la basse. Vous qui ne considérez pas la musique comme une religion, vous ne prenez pas part à la bataille qui doit déterminer si on doit prier le dieu du groovie ou le prophète du funky. Vous vous faites chier, la soirée est foutue. Votre dernière tentative pour détendre l'atmosphère, c'est d'affirmer que le meilleur, c'est Joe Dassin. Un bide. Vous passez pour un gros con de ringard, on vous ignore définitivement, personne ne daigne même se fâcher avec vous.

Je crois que vous en serez d'accord, afin de libérer le monde de ces groupies invertébrées, il faut leur crever les tympans avec une aiguille à tricoter. *Amen.*

Mort aux lecteurs de journaux gratuits !

Ils se ruent dessus, ils l'arrachent des mains du pauvre type au blouson siglé qui le distribue à l'entrée du métro. Des pigeons sur une merde de chien truffée. Tous, ils veulent un exemplaire du journal gratuit derrière lequel ils cacheront leur sale gueule pendant le temps que durera le trajet jusqu'au boulot. Il y a des lignes de la RATP plutôt *20 Minutes*, d'autres plutôt *Métro*. La presse est chère, mais comment se fait-il que 99 % des lecteurs de gratuits ne lisaient pas un quotidien avant ? L'info, l'actualité, ce que raconte la presse, ils s'en branlaient pas mal et ils s'en branlent encore. Ils ne lisent pas les gratuits pour s'informer ou même pour avoir l'illusion d'être informés, ils lisent les gratuits parce que… c'est gratuit. Certains en prennent deux, trois à la fois. Ça servira peut-être pour la litière du chat, pour les épluchures de légumes, mais surtout, c'est gratuit ! Faut pas laisser perdre ! On serait bien con de ne pas profiter de ce qui est gratuit, même si on n'en a pas besoin. On distribuerait des coups de pied au cul à l'entrée du métro qu'ils en réclameraient tous plusieurs s'ils ont la garantie que c'est gratuit. Des rats, des tristes cons mesquins, des voleurs ratés qui se rattrapent sur le gratuit. Et que penser de ces pauvres nouilles qui certains jours se plongent

dans la lecture du journal gratuit sportif (dont j'ai oublié le nom) !
Et cette mémé, pensez-vous qu'elle se passionne pour les exploits
de tel ou tel sous-Zidane, non, elle s'en moque, du foot, du Tour
de France et de tout le reste. Même, ça la fait chier, mémé, que
son crétin de mari monopolise la télé les soirs de match. Mais,
là, elle jouit la vieille, elle a eu un journal gratuiiiiiit ! On la
retrouve, la vieille et ses compagnons de voyage devant les buffets.
Ce sont les mêmes qui se bourrent comme des porcs au buffet
pour les vœux du maire.

Je crois que vous en serez d'accord, il faut organiser un grand
bûcher de journaux gratuits à l'entrée du métro afin d'y rôtir les
lecteurs. *Amen.*

Mort aux peintres de kebabs !

C'est comme tout, il y a des bons et des mauvais kebabs. Parfois, les copeaux de bidoche sont trop secs, parfois, ils dégueulent de gras, parfois, ils sont juste comme il faut. Même chose pour les frites. Les boutiques tenues par les Kurdes qui proposent ces sandwichs grecs ou turcs ne paient généralement pas de mine. Si on jugeait de la qualité de la bouffe rien qu'en regardant la vitrine, on irait manger chez McDo. Il faut entrer et tester. Le problème, c'est qu'un puissant répulsif empêche toute personne de bon goût de mettre le pied chez un marchand de kebabs. L'enseigne, avez-vous vu l'enseigne ? Une espèce de trapèze peint avec des touches de rouge, de jaune et parfois de marron est censée rappeler la viande qui cuit à la broche. J'imagine qu'il y a des magasins qui vendent ce genre d'enseignes, j'imagine qu'il y a des gens pour les peindre. J'imagine que le restaurateur qui n'a pas les moyens d'en acheter une se la fabrique lui-même. C'est sûr qu'un tas de barbaque qui cuit, c'est pas ce qu'il y a de plus facile à rendre en peinture, mais enfin, le marchand de kebabs pouvait soit faire appel à un vrai artiste pour lui barbouiller l'enseigne, soit trouver un autre élément pour symboliser son commerce. Une frite, c'est facile à dessiner, une frite. Non, il semble qu'une mafia de l'enseigne à kebabs ait réussi à imposer ce style à gerber. Car qu'imagine-t-on en voyant cette grosse tache sanguinolente au bout de la rue ? Est-ce une croûte que le pus jaunasse submerge ? Une fausse couche ? Un dégueulis d'alcoolo ? Un moignon de lépreux ? Un cul de Sarkozy râpé par la langue de Michel Drucker ? Quelle personne saine d'esprit associerait cette image ignoble à un commerce de bouche ? Si c'est pour pourrir les perspectives de nos jolies rues de France avec leurs panneaux lumineux dégueulasses, on préfère que les Kurdes restent à sauter sur des mines en Turquie.

Je crois que vous en serez d'accord, il faut couper les mains aux peintres obscènes qui commettent ces atrocités, les cuire à la broche et les servir avec des frites entre deux tranches de pain. *Amen.*

Mort à la réclame !

Les animateurs de télé sont des putes, tout le monde en convient. Ce sont aussi des maquereaux. Ils vendent leur cul et celui de leurs invités aux annonceurs publicitaires qui financent leurs émissions. Certains ont semble-t-il un peu honte. Apparemment, rien ne les distingue de leurs confrères : la même suffisance, la même ignorance crasse, le même sourire frelaté. Pourtant, si on les écoute bien, ils sont faciles à repérer. Ces cancrelats ne disent pas : « On se retrouve après la publicité », ils disent : « On se retrouve après la réclame ». Pourquoi utilisent-ils le mot « réclame » au lieu de « publicité » ? La réclame, ce n'est que le terme un peu désuet, un peu vieillot, un peu ringard, pour dire publicité. Précisément. Les publicités des années 1950 ou 1960 paraissent tellement niaises, tellement lourdaudes, maladroites ! Les publicités d'hier paraissent inefficaces, donc inoffensives. Leur discours est si facile à démonter ! On se demande en les regardant comment le téléspectateur de l'époque pouvait être perméable à ces argumentaires cucul. En utilisant le mot réclame, l'animateur tente de faire croire au téléspectateur qu'il se moque des publicités que sa chaîne diffuse. Il les appelle des réclames pour dire aux blaireaux scotchés devant leur poste : « Hé, les gars, moi aussi je pense que les pubs sont faites pour nous baiser la gueule, mais vous n'êtes pas dupes, hein, vous ne vous faites pas piéger par le discours de la pub ! Vous savez bien que la pub vous prend pour des cons, comme la réclame prenait pour des cons vos parents. » En faisant passer ce message, l'animateur joue la connivence avec le téléspectateur. Et puisqu'on lui dit qu'il s'agit de réclame, le téléspectateur baisse sa garde. Une coupure publicitaire l'aurait peut-être énervé, mais de la réclame ! Et il ingurgite la réclame avec un bon sourire nostalgique.

Je crois que vous en serez d'accord, il faut pendre aux lustres de son émission de merde l'hypocrite qui emploie le mot « réclame » pour « publicité ». *Amen.*

Mort aux trentenaires !

Le trentenaire ne se respecte pas lui-même, pourquoi devrait-on le respecter ? Le trentenaire aime renifler ses vieux slips sales, parce qu'ils ont le parfum de sa jeunesse. Le trentenaire a une passion pour tout ce qui peut lui rappeler l'époque où il était encore une chenille qui rampait entre les jambes pas encore variqueuses de sa mère. La nostalgie était un sport de vieux cons, le trentenaire en a fait un truc branché. Non seulement il évoque le passé les yeux embués d'émotion, mais il fait tout pour le revivre. Ou en tout cas le rejouer. Il bouffe des bonbons Haribo, il achète les DVD des *Barbapapa*, il chante les génériques de *Goldorak*, d'*Albator* et de *Candy*, il se masturbe en pensant au Club Dorothée et éjacule sur Chantal Goya, il ne dit pas France 2, mais Antenne 2, il récite par cœur les slogans des vieilles pubs, il se rend à des Gloubiboulga Nights… Certains veulent tellement revivre le temps de leur enfance qu'ils demandent à leur père encore vert de les enculer comme lorsque maman partait faire les courses au marché. « Non, papa, ne mets pas ce gel hypoallergénique pour que ta queue rentre mieux, oins-toi plutôt le gland avec cette bonne vieille vaseline, j'en ai retrouvé un tube dans ta boîte à outils. » Pas question de se moquer de ces méchants cons égocentriques qui mangent leurs crottes de nez en balançant leur tête sur le générique de *Croque-Vacances*, leur lubie est un commerce. Impossible de tourner en ridicule ce qui se vend, et la « trentenostalgie » est un produit qui part bien. La régression est tendance, mais attention, uniquement pour les trentenaires ! Que mémère ne vienne pas raconter son Front populaire, elle passera pour une sénile casse-couilles. Elle finira dans le pavillon des fêlés de la calebasse de la maison de retraite, tandis que son arrière-petit-fils, lui, pérorera dans une émission de télé.

Je crois que vous en serez d'accord, le trentenaire est un monstre lamentable qu'il faut déporter et laisser crever de faim sur l'Île aux enfants. *Amen.*

Mort aux pue-des-mains !

Beaucoup de gens puent des pieds. Faut-il les en blâmer ? Je ne pense pas. Un certain nombre d'entre eux ne peuvent rien à ce triste état de fait. Ils ont beau se savonner les arpions pendant des heures, rien n'y fait, au bout de quinze secondes dans une paire de chaussures, ils se mettent à sentir le sconse. Il serait injuste de réclamer la mort de handicapés. Laissons donc les pue-des-pieds, pour nous intéresser à leurs lointains cousins, les pue-des-mains. Parfaitement ! Il y a dans votre entourage des personnes dont l'odeur des mains retournerait le cœur à un chacal. C'est sur eux que doit s'abattre la colère du Très-Haut. Le matin, au boulot, après que certains de vos collègues vous ont salué, n'êtes-vous pas obligé de vous rendre aux toilettes pour décaper l'ignoble fragrance dont ils ont imprégné votre main droite ? Ces bouseux se sont passé de l'après-rasage bon marché ou bien une espèce de sous-eau de Cologne sur leur sale petite gueule, après quoi ils n'ont pas jugé nécessaire de se laver les mains. Toute la matinée, ils cocotteront à mort des paluches, et tout ce qu'ils toucheront prendra l'atroce odeur du rayon entretien d'un Ed l'épicier. Il y a deux bonnes raisons de haïr ces pollueurs : d'une part, ils font preuve d'un manque de respect évident en déposant leur odeur sur vous comme le ferait une hyène en chaleur sur une souche pourrie ; d'autre part, ils manifestent un goût de chiottes inacceptable en se tartinant l'épiderme avec un produit dont vous ne voudriez même pas pour désinfecter une morgue. La version féminine de ce genre de fumier existe, c'est après l'avoir embrassée sur la joue que vous devez vous rincer le visage. Son parfum de pute de périph ne fait pas que vous donner la nausée, il peut laisser croire à votre épouse légitime que vous avez eu une aventure. Ne soyons pas sexistes, ces roulures ne valent pas mieux que leurs collègues masculins.

Je crois que vous en serez d'accord, il faut asperger de White Spirit ces pénibles personnages avant de leur foutre le feu. *Amen.*

Mort au vote utile !

Les périodes électorales sont particulièrement propices à la chasse aux cons. Les cons ne sont pas plus nombreux à ces moments-là, ils sont simplement plus faciles à débusquer. Si vous entamez la conversation avec eux, ils ne pourront pas s'empêcher de lâcher la petite phrase qui les dénoncera à vos yeux. Je cite : « Il faut voter utile » ou bien « Moi, cette fois-ci, je vote utile ». Le doute n'est plus possible, vous êtes en face d'un vrai gros con. Réalise-t-il l'inanité du propos qu'il vient de tenir ? C'est peu probable, étant donné sa condition de con. Le concept de « vote utile » est en effet complètement antidémocratique, et souvent le con est démocrate. C'est ce que les chercheurs en connerie nomment le « paradoxe du con ». Supposer qu'il existe un vote utile suppose en effet qu'il existe des votes inutiles. Le con chie donc sur le pluralisme démocratique tout en s'affirmant grand démocrate. Le con qui vote utile souhaite que tous les gens de sa famille politique votent pour le futur vainqueur. Le con sait en effet avant tout le monde qui va être élu, il est donc inutile de voter pour les autres, les perdants. Le con est une espèce d'eugéniste qui voudrait voir les gens différents disparaître. Les gens différents, c'est-à-dire à ses yeux les personnes inutiles à la construction de la société dont il rêve.

Bref, le vote utile est une formule nazie, totalitaire, dangereuse. Si toutes les expressions démocratiques ne sont pas utiles en démocratie, pourquoi ne pas en supprimer un certain nombre ? En rabâchant qu'il faut voter utile, le con œuvre au pourrissement de la démocratie. Combien de jeunes électeurs sans expérience se sont-ils laissé berner par ce mot d'ordre apparemment de bon sens : « Il faut voter utile » ! Combien de citoyens ont-ils voté contre leurs idées, conditionnés qu'ils étaient par la propagande des cons !

Je crois que vous en serez d'accord, il faut enfermer le con qui vote utile dans une urne électorale et le parachuter au-dessus d'un goulag nord-coréen. *Amen.*

Mort aux météorologues de la radio !

La rubrique météo détient déjà la palme de la plus conne de toutes les rubriques d'information. Et cela, quel que soit le média qui l'accueille. Mais il est un endroit où les prévisions météorologiques relèvent plus du gag que de l'information, c'est à la radio. En à peine 15 secondes, le préposé aux anticyclones est censé donner une idée à l'auditeur du temps qu'il fera chez lui dans les heures qui viennent. Miracle ! Quel que soit l'endroit de France où vous vous trouvez, votre bled est zappé. Si vous êtes en Bretagne, attendez-vous à tout savoir du temps qu'il fera partout, sauf en Bretagne. Même chose si vous êtes en Alsace, en Auvergne ou en Corse. Si par malheur vous êtes en Picardie, sachez qu'il vous faudra mettre le nez à la fenêtre pour savoir s'il neige. Le présentateur météo qui prononce le mot Picardie doit avoir un gage. Pourquoi s'encombrer d'une rubrique météo si elle ne donne d'information sur rien, sauf peut-être sur la capacité qu'ont certains journalistes à parler pour ne rien dire ? Après tout, peut-être faut-il prendre la séquence météo pour une pause, une respiration entre deux émissions. Le chroniqueur météo est en fait un poète adepte des surréalistes qui nous livre des œuvres de sa composition… Peut-être, mais la même poésie deux fois par heure, c'est un coup à faire adhérer n'importe quel André Breton au Front national ! L'autre hypothèse est que le poète météo est en fait un traumatisé crânien en stage de réinsertion. Ce qu'il dit n'a ni queue ni tête, mais l'important est qu'il s'exprime. En moins de vingt ou trente ans de ce traitement, il peut retrouver une vie normale. En tout cas, suffisamment normale pour devenir journaliste sportif. Ou alors, pour finir, c'est juste un gros connard qui prend son pied à faire du vent avec sa bouche, parce que c'est mieux payé et moins fatigant que de développer une idée qui se tienne à peu près.

Je crois que vous en serez d'accord, il faut balancer les chroniqueurs météo dans un congélo 60 litres jusqu'à ce qu'ils nous annoncent du beau temps sur Brest. *Amen.*

Mort aux tongs !

Vous avez probablement plus de chances de porter des tongs à Argelès-sur-Mer que de marcher sur une mine en Afghanistan. Pourtant, dans les deux cas, vous risquez de perdre vos pieds. Je ne parle même pas des insensés qui portent des tongs en Afghanistan. Ceux-là, en tant que culs-de-jatte, sont certains d'avoir une réduction sur le vol retour. Une paire de tongs en plastoc, ça ne coûte rien et ça assure à celui qui la porte une dégaine de branleur à la cool. Donc, après toute une année le pied enfermé dans des tennis qui tiennent plus du cuit-vapeur que de la chaussure, vous glissez vos pieds ramollis dans des tongs. Quelle sensation de liberté, de légèreté, de sensualité ! Et toute la journée, vous arpentez la promenade qui fait face à la mer en traînant la savate à la recherche d'une chtouille à choper. En fait de chtouille, c'est bien vite des ampoules que vous chopez entre les doigts de pied qui retiennent vos tongs. Évidemment, le frottement vous gêne, vous avez mal, mais quoi ! Vous n'allez tout de même pas échanger vos tongs de torture contre des sandalettes ringardes. Alors, vous insistez, les ampoules pètent, ça suinte, puis ça purule, mais vous ne mettez pas de Mercurochrome ou de pansement, ça vous ferait passer pour un nase. Le sable colle aux plaies, qui prennent vite une vilaine couleur, le sel de mer creuse les chairs et empêche toute cicatrisation. Vos doigts de pied deviennent violets, vos pieds, gonflés de pus, se marbrent de bleu. Vous marchez comme un retraité, chaque pas vous arrache une grimace. Vous puez la mort, il faudrait vous amputer, mais draguer en fauteuil roulant, ça le fait pas, alors vous continuez tant bien que mal à vous appuyer sur vos deux morceaux de viande faisandée. Un matin, on vous retrouvera mort. La gangrène aura eu le dessus. Les employés municipaux chargés de nettoyer la plage vous jetteront discrètement dans une fosse commune déjà pleine de vos semblables. Chaque année, des centaines de vacanciers ne rentrent jamais chez eux. On imagine qu'ils ont refait leur vie au soleil… Je crois que vous en serez d'accord, il faut rassembler tout ce que le pays compte de tongs en un gigantesque bûcher. On n'oubliera pas de précipiter dans le brasier les commerçants qui proposent ces engins de mort. *Amen.*

Mort aux décorateurs de restos !

Les prix affichés sur le menu n'y font rien, la qualité des plats non plus. Le boui-boui infâme, le McDonald's standardisé, l'auberge bourgeoise ou le restaurant le plus raffiné ont tous un point en commun frappant : le mauvais goût de la déco. Combien de fois avez-vous dû plonger le nez dans votre auge pour échapper aux ignobles croûtes qui recouvrent les murs ? Des croûtes qui, vous le remarquerez sans doute en vous approchant, sont souvent à vendre. Oui, la petite étiquette qui affiche un chiffre à trois zéros en bas à droite, c'est le prix en euros du tableau. C'est que le restaurateur qui se prend pour un artiste de la saucière est flatté de l'amitié qu'il a su nouer avec des peintres du dimanche, des tocards du pinceau, des ratés du fusain... Ce qui fait que les métiers de la table éloignent du bon goût est un mystère, mais les faits sont là, les restaurateurs ont du pus dans les yeux. Faut-il également évoquer les décorations à thèmes ? Dans un restaurant italien, vous avez des chances de trouver des masques vénitiens en plus des tableaux. Dans un restaurant du terroir, des sabots en bois, une fourche ou une serpette ; dans un restaurant espagnol, des banderilles et des castagnettes ; dans un restaurant mexicain, des sombreros et des ponchos, etc. Et les petits abat-jour poussiéreux au-dessus des banquettes ! Et les moches plantes vertes que même votre mère ne voudrait pas pour sa fête ! Et la carte de visite dessinée avec le cul par un aveugle psychotique qu'on vous remet en même temps que l'addition pour vous rappeler d'éviter à tout jamais de revenir à cette adresse ! Le restaurateur qui fait du zèle aura soin d'avoir une gueule qui va avec la déco. La profession ne serait pas connue pour comporter une forte proportion de voleurs, d'imbéciles et d'électeurs du Front national, on aurait presque pitié de ces truffes.

Je crois que vous en serez d'accord, il faut clouer les têtes de ces propagandistes du laid au mur de leur établissement afin d'égayer le lieu. *Amen.*

Mort aux chauves à perruque !

Avant de gueuler après la nature qui vous a fait aussi laid, réfléchissez deux secondes. La nature ne produit rien de beau, rien de laid, la nature, bonne fille, produit. C'est l'homme qui décide, en fonction de critères qui peuvent varier selon son humeur et les époques, ce qui autour de lui est beau ou laid. Si c'est bien la nature qui fait tomber nos cheveux (sauf si nous subissons un traitement chimiothérapique), c'est la société qui décide que nous sommes chauves. La honte qu'éprouvent certains chauves à n'avoir plus grand-chose sur le caillou vient du fait que le monde dans lequel ils vivent a décidé que celui qui perd ses cheveux est vieux, ringard et moche. Les chauves eux-mêmes, en ayant honte d'être déplumés, participent à renforcer les préjugés de la société à leur encontre. Le chauve honteux est complice de son malheur et souffre. À tel point parfois que le chauve décide de s'acheter un postiche. Et là, c'est le drame. Alors que personne ne remarquait particulièrement sa calvitie (lorsque vous voyez un chauve, vous ne vous dites pas « Tiens, un chauve »), tout le monde se retourne désormais sur lui pour lui lorgner le toupet. Le tas de crins trop raides qu'il s'est scotché sur le crâne, au lieu de dissimuler ce qu'il pense être une tare, révèle au monde entier son complexe. Un chauve qui porte une perruque est encore plus chauve que s'il n'en portait pas. Une moumoute fait du chauve un chauve au carré. Ce collage de faux poils trop bien peignés, sans volume, qui rebiquent sur la nuque est un accessoire de clown. Et que fait l'humain bien dressé quand il voit un clown ? Il rigole. Le type qui se baladerait avec une pancarte « Je suis chauve » n'est pas aussi voyant qu'un chauve à perruque. On ne peut pas lire dans la pensée d'un chauve, mais on peut lire dans celle d'un chauve à perruque. On peut y lire ses angoisses, ses malaises, ses frustrations, sa honte injustifiée, son désespoir entretenu. Le chauve à perruque n'a aucune pudeur. Le chauve à perruque est répugnant.

Je crois que vous en serez d'accord, il faut scalper le chauve à perruque jusqu'à l'os et faire de ses poils de cul une queue-de-cheval. *Amen.*

Mort aux clients de supermarchés !

Les supermarchés sont fréquentés par deux sortes de malades mentaux. Vous vous en rendez compte notamment aux caisses. Il y a les frénétiques, qui n'attendent pas que les marchandises du client précédent aient libéré le tapis roulant pour déposer leurs achats. Ils poussent tout ce qui à leurs yeux encombre le tapis vers la caissière pour en faire un monticule et ainsi dégager suffisamment d'espace pour étaler leurs propres courses. Il semble que le tapis roulant soit pour eux une sorte de ligne d'arrivée qu'il faut absolument avoir franchie sous peine de... De quoi, au fait ? S'ils n'ont pas déposé symboliquement une merde en conserve sur le tapis le plus rapidement possible, que leur arrive-t-il ? Seule une dissection de leur cerveau atteint pourrait peut-être nous le dire, mais nous ne sommes pas médecins. Les autres types de givrés auxquels on a affaire sont ceux qui paniquent à l'idée que leurs achats entrent en contact avec ceux du client précédent ou du client suivant. On a l'impression que, pour eux, les courses du voisin ont déjà été chiées. En même temps qu'ils ont soin de laisser le plus d'espace possible entre leur tas et le tas étranger, ils réclament à la caissière l'espèce de petite barrière de séparation où il est inscrit en lettres énormes « client suivant ».

Sans ce mini-mur de la honte, on ne sait pas à quel massacre le client fou pourrait se livrer si un autre empiétait sur son territoire. Il est à noter que le dingue pressé d'éjaculer toutes ses courses sur le tapis roulant est parfois le même qui refuse que le saucisson du voisin entre en contact avec ses poivrons. Ceux-là font réellement peur. Les inutiles vigiles occupés à faire pousser leurs varices de l'autre côté des caisses devraient être remplacés par des infirmiers psychiatriques. Il y a plus de fous que de voleurs dans les supermarchés.

Je crois que vous en serez d'accord, il faut balancer ces résidus d'humains dans une benne à ordures au motif que leur date de péremption est dépassée. *Amen.*

Mort aux festivals !

Salons, festivals, congrès... Qu'évoquent ces mots pour vous ? La fête, la confraternité et peut-être aussi l'amitié ? Naïfs. Qu'est-ce qui rassemble tant de gens différents dans un même endroit ? Un même métier, une même passion. C'est en tout cas comme ça que sont vendus tous les festivals. Professionnels de la profession, venez tous vous retrouver autour du livre, de l'agriculture, de la BD, du bâtiment, de l'éducation et j'en passe. Le fait de travailler dans un secteur d'activité particulier est-il suffisant pour justifier qu'on s'agglutine sous une bâche miteuse ou un hall plein de courants d'air ? J'aime le pâté, le plus répugnant des militants du Front national aime le pâté, alors, pour le temps du festival du pâté, il faudrait cohabiter un week-end sous un toit de tôle parce que notre obsession pour le pâté serait plus forte que nos oppositions sur tous les autres sujets ? Faisons la paix autour du pâté ou bien ignorons-nous poliment... C'est insupportable ! Un gros con de facho qui dessine est avant tout un gros con de facho. Le festival de BD d'Angoulême, par exemple, ne devrait pas pouvoir rassembler dans un espace aussi confiné des gens qui, s'ils étaient normalement constitués, s'étriperaient. Un éditeur travaille à la mort d'un autre, mais, durant quelques jours, son stand sera collé à celui de sa victime sans que celle-ci réagisse. Ils se haïssent pour des raisons éthiques, économiques, politiques, mais… l'un et l'autre font des livres. Que partage tel rescapé des camps avec tel négationniste ? Le goût de l'écriture. Est-ce suffisant pour les réunir dans un salon ? Un agriculteur pollueur qui rafle la moitié des subventions européennes rien que pour faire le plein de sa piscine fait face à un petit producteur bio qui se pendra à la fin du mois (avec une corde de chanvre AOC) parce que ses abeilles auront été empoisonnées par des pesticides. Qu'ont-ils en commun, ces deux faux derches ?

Je crois que vous en serez d'accord, afin de mettre un terme aux salons du mensonge et de l'hypocrisie, il faut distribuer des armes aux participants et prévenir chacun d'entre eux que les autres veulent les assassiner. *Amen.*

Mort aux journalistes sportifs !

On peut être journaliste et sportif. On peut être journaliste ou sportif. Mais il est aberrant de laisser croire qu'il existe quelque chose qui ressemble à un journaliste sportif, c'est-à-dire un journaliste dont la spécialité est le sport. Les « journalistes sportifs » ne sont absolument pas journalistes et très rarement sportifs. Sportifs, la plupart d'entre eux l'ont été au lycée, certains ont même eu la moyenne au bac en sport. Ensuite, ils se sont mis à bouffer et à picoler comme des vaches, ce qui explique leur gros cul et leur teint violacé. En quoi le rescapé du crétacé inférieur qui communique le résultat du match de foot Lyon-Guingamp fait-il du journalisme ? Lire le tableau où s'affiche le résultat de la rencontre, est-ce du journalisme ? Rapporter que tel joueur dribble au moment où il dribble, qu'il tire au moment où il tire et qu'il marque au moment où il marque, est-ce du journalisme ? Décrire avec les mots de tout le monde ce que tout le monde voit, est-ce du journalisme ? Le rôle du journalisme n'est pas de paraphraser l'évidente réalité, mais de nous expliquer ce qu'elle peut dissimuler. De temps en temps, le journaliste sportif ferme sa grande gueule pour tendre son micro à plus insignifiant que lui : le sportif. Dans un français approximatif, le pauvre type dont le métier est avant tout de se piquer les fesses avec un produit dopant crachote quelques mots pour dire qu'il est très content d'être content d'avoir fait ce qu'il a pu malgré une entorse au cerveau. L'interview n'apporte rien à l'auditeur, mais elle remplit de joie le journaliste sportif, qui peut briller dans les bistrots auprès de connards de son espèce : ce qui le différencie des autres pochetrons, c'est que lui rencontre des vedettes. Il en tire un prestige énorme et en profite pour se faire payer des coups. Il a reniflé les chaussettes de Zizou, il a touché la corne que Jeannie Longo a au cul, il connaît la sœur d'un cameraman de « Stade 2 »...

Je crois que vous en serez d'accord, il faut dépecer ce parasite qui usurpe le titre de journaliste, envoyer sa peau au Pakistan et la faire coudre en forme de ballon par des enfants esclaves. *Amen.*

Mort aux couilles !

Cessons de considérer cette ridicule paire de mols sachets comme les symboles de la virilité. Pas de quoi faire les malins, les mecs. C'est uniquement par pitié que les filles font semblant de s'intéresser à ce qui remplit autant la bouche des hommes que leur slip. Combien de fois par jour prononce-t-on en vain le mot « couilles » ? On dit de telle personne qu'elle « a des couilles » ou bien, plus souvent, qu'elle « n'a pas de couilles ». Comme si la présence, l'absence ou la taille de ces peaux signifiait réellement quelque chose. Et « J'en ai plein les couilles », « Je vais lui couper les couilles »... La partie la plus hideuse et la plus inutile du corps humain jouit d'une promotion aberrante. Les couilles ne servent à rien. Non, même pas à faire des gosses. Tout au plus et dans le meilleur des cas servent-elles à stocker le foutre. Un foutre qui, grâce aux pesticides et aux gaz d'échappement, ne contiendra bientôt plus qu'un ou deux spermatozoïdes asthmatiques. Les couilles ne valent pas plus que le coton dont l'adolescent complexé remplit son caleçon pour faire croire qu'il a une tige énorme. « Mieux vaut une belle bite que de grosses couilles », dit ce sage proverbe ismaélien jamais traduit jusqu'à ce jour. Et ces pauvres rappeurs qui dans leurs clips se remontent les couilles pour prouver qu'ils en ont, alors que tout ce qu'on leur demande, c'est de ne pas nous les briser ! Et les tortionnaires qui s'acharnent depuis des siècles sur ces pauvres burnes comme si le supplicié n'avait rien de plus précieux ! Le type amputé de ses couilles n'osera jamais le dire, mais il est soulagé qu'on le libère d'un poids mort. Les couilles, ça prend de la place, ça gêne pour faire du vélo, ça fait prise au vent, au moindre choc elles te plient en deux de douleur, ça se coince dans l'élastique du maillot de bain, ça gratte, ça sue, ça perd ses poils...

Je crois que vous en serez d'accord, il faut faire don de ses couilles aux Restos du cœur. Au moins, elles serviront à quelque chose. *Amen.*

Mort aux moustaches de Bachar Al-Assad !

Bachar Al-Assad, c'est ce grand type au regard de Droopy qui dirige la Syrie d'une main de fer moite. C'est le fils de son père, le sanguinaire Hafez Al-Assad. Bachar Al-Assad a l'ambition de laisser dans l'histoire une trace de sang séché au moins aussi impressionnante que celle que laissa son papa. Hélas, le régime syrien aura fini de s'effondrer avant que Bachar ne réalise son rêve. Bachar a en effet un gros problème, il n'est pas pris au sérieux. Et, en vérité, a-t-on jamais vu un dictateur avec des moustaches aussi grotesques que celles du pauvre Bachar ? Prenez la peine d'observer sa fiole de benêt. La zone grisâtre qui sépare son nez de sa bouche est censée être une moustache ! On dirait les jambes de ma gardienne une semaine après son épilation ! Ce n'est ni du duvet, ni du poil, c'est de la sciure. Le Bachar pense avoir besoin d'une moustache pour ressembler à son père et affirmer son autorité. C'est raté. Tout le monde en Syrie se bidonne. Discrètement dans un premier temps parce que la police secrète veille, mais les agents chargés de la répression ont eux-mêmes les larmes aux yeux à force de réprimer le fou rire qui va bientôt submerger le régime. Bachar a la lèvre supérieure comme le cul d'un poussin fraîchement plumé. Hitler avait des poils ! Staline avait des poils ! Golda Meir avait des poils ! Et Pinochet, et Hô Chi Minh, et Saddam, et j'en passe ! Beaucoup de dirigeants à poigne ont une moustache. Elle peut être discrète, mais au moins est-elle fournie. Mussolini se savait aussi poilu qu'un gland, a-t-il eu la prétention de barrer son visage d'une moustache ? Non. Il a décidé d'affirmer sa virilité autrement. Ses larges auréoles de transpiration sous les bras étaient à l'époque aussi célèbres que les moustaches du petit père des peuples. Bachar Al-Assad a le profil pour servir des *mezze* dans un restaurant libanais, pas pour opprimer des millions d'innocents.

Je crois que vous en serez d'accord, il faut livrer Bachar Al-Assad à un tribunal international qui le jugera pour avoir ridiculisé l'image des dictateurs. *Amen.*

Mort *aux* has been !

En vérité, qui sont ceux qu'on désigne ainsi ? Des gens qui un jour ont été à la mode. Les gens à la mode ne sont rien d'autre que des ringards en gestation. Le *has been* est le stade terminal du branché. Certaines personnes essaient de s'adapter aux modes, de changer avec elles. Elles abandonnent leur pantalon pattes d'éléphant, telles des mues, pour un pantalon fuseau, puis pour un pantalon *baggy*, jusqu'à ce qu'épuisées elles terminent leurs jours dans un pantalon à la con qui finira fatalement par se démoder. Comme la vie porte en elle la mort, la mode porte en elle le *has been*. Celui qui dans la rue dénonce en ricanant le ringard qui passe se moque de lui-même. Malheureusement, ce n'est pas de l'autodérision, c'est de l'aveuglement. Le *has been* a généralement mérité de l'être. Les fans de rock Neandertal se sont foutus de la gueule des Erectus, qui jouaient du musette. Les Erectus eux-mêmes conchiaient le menuet de grand-père Habilis. Ça ne leur a pas porté chance, ils ont tous disparu. Aujourd'hui, le Cro-Magnon, suffisant, se secoue les puces sur un air de rap. Il ne sait pas encore qu'il est déjà mort. La mode est une pensée, un vêtement, un tic, un TOC, un genre musical, une coiffure que tous les membres d'une génération sont obligés d'adopter pour ne pas se faire dépecer par le groupe. La mode est l'uniforme du soldat nazi, la mode est la camisole de force des prisonniers politiques soviétiques, la mode est le sécateur à émasculer les veaux. La mode est une forme raffinée et particulièrement perverse de totalitarisme. Le *has been* n'est que l'instrument de la mode, son larbin servile, qui a été mis au rebut après l'avoir fidèlement servie. Le *has been*, c'est le gardien de camp tombé de la tourelle qui est dévoré par ses chiens.

Je crois que vous en serez d'accord, il n'est pas nécessaire d'infliger une punition sévère à un *has been*. Le has been est bien assez châtié lorsque le troupeau imprime la marque « ringard » au fer rouge sur son cul mou. *Amen.*

Mort aux petits actionnaires !

Attention ! Un gros actionnaire est haïssable, tandis qu'un petit actionnaire est méprisable. Le mépris étant un sentiment bien plus violent que la haine, évacuons-le le plus rapidement possible afin qu'il ne nous pollue pas le cerveau. En effet, mépriser quelqu'un trop longtemps peut provoquer un cancer des lobes fielleux. Le petit actionnaire n'est pas un gros actionnaire en miniature. Le gros actionnaire est un prédateur dangereux, une ordure aveugle et sans pitié. Le petit actionnaire, lui, est une cloche, une buse, un raté qui pense pouvoir se retrouver un jour dans la peau d'un gros actionnaire. Évidemment, il n'y sera jamais. Roulé dans la farine par des publicités mensongères, humilié par son banquier, ruiné par sa connerie, le petit actionnaire pleur-niche et geint. Ce qu'il lui arrive est trop injuste ! On lui avait promis qu'il deviendrait un fumier d'envergure à la tête d'un capi-tal qui lui permettrait de se retirer dans un mouroir pour riches dans le Var, et, finalement, il n'est qu'un couillon ruiné qui se retrouve en caleçon au milieu de la rue. On lui a dit : « Monte sur le ring de la Bourse, tu vas tous les étaler ! » Des malins ont réussi à lui faire croire que ses moignons étaient des poings, et il les a crus... Mais, alors, me direz-vous, si le petit actionnaire est une victime, il n'y a pas lieu de s'acharner comme ça sur sa dépouille. C'est oublier de quelle manière le petit actionnaire était prêt à faire fortune. Sans collabos, le capital n'est rien. Combien de travailleurs faut-il licencier pour garantir aux actionnaires des dividendes bien gras ? Combien de populations faut-il dépouiller de leurs ressources pour que telle entreprise pétrolière puisse verser à ses millions d'actionnaires de quoi acheter un yacht ou une baguette de pain ? Qu'on assassine pour s'emparer de millions d'euros ou bien qu'on tue pour quelques centimes, le crime est le même. Dans le cas du petit actionnaire, on peut simplement dire que le crime ne paie pas.

Je crois que vous en serez d'accord, il faut pendre les petits actionnaires aux poils des couilles des gros. *Amen.*

Mort aux fétichistes nationalistes !

Au Moyen Âge, les lépreux s'annonçaient avec une crécelle. Ce qui permettait à la population d'éviter de les croiser. De nos jours, un tout autre type de malade fait preuve sans le savoir du même civisme : le demeuré qui affiche de manière ostentatoire l'attachement qu'il a pour le coin de fumier qui l'a vu naître. Celui-là porte souvent autour du cou un médaillon qui reproduit les contours de son pays. Sous nos latitudes, les plus nombreux de ces spécimens sont sans doute les Corses. Au milieu d'une bouloche de poils drus brille leur île de Beauté. C'est moche et con, mais on s'est habitué. On reconnaît au premier coup d'œil la carte de la Corse et on change de trottoir. Même chose pour les défenseurs de la cause palestinienne et les défenseurs de la cause israélienne. Ce qui est amusant, c'est que tous les deux ont le même pendentif, qui représente selon l'engagement de chacun le contour du grand Israël ou celui de la Palestine historique. Là encore, la carte est facile à identifier et on peut fuir la conversation de ces lourds. Ça se complique avec les autres porteurs de breloque quand ils ne sont ni italiens, ni français, ni africains… Qui en effet est en mesure de repérer instantanément la carte de l'Allemagne, de la Belgique, du Honduras ou du Monténégro ?

Sur le poitrail du type pendouille une tache de métal informe : fuyez ! Ne cherchez pas à savoir si c'est de l'art, vous avez neuf chances sur dix d'être en présence d'un nationaliste quelconque. L'autre jour, intrigué, je me suis imprudemment approché d'un petit gros qui portait une minuscule poire en or autour du cou. Tiens, c'est amusant de se trimbaler avec une poire qui... Catastrophe ! Il s'agissait en fait de la carte du Sri Lanka ! Après le drapeau, quoi de plus bête pour symboliser le pays auquel on est attaché que sa forme ? Ce genre de gadget montre quoi ? Que l'esprit de celui qui le porte est limité comme l'est la surface de son pays. Son esprit est borné au sens propre du mot.

Je crois que vous en serez d'accord, il faut compresser et aplatir les porteurs du grigri nationaliste afin de pouvoir les accrocher au licol d'un âne. *Amen.*

Mort aux fabricants de chaussures !

C'est chouette, une belle, bonne paire de chaussures. Elles ne sont pas excitantes, avec leur petite languette qui sort ? On a envie de leur rouler des pelles, à des belles pompes. Je sais, c'est ridicule. On vit dans un monde où l'amoureux des grolles est moqué. Le seul moyen de transport individuel à être encensé est la bagnole. Ah, tu peux aller au Salon de l'auto sans qu'on se foute de ta gueule ! Tu peux parcourir des centaines de kilomètres pour y assister, tu peux faire des heures de queue pour tripoter le cuir de la Porsche que tu ne pourras jamais te payer, personne ne se moquera de toi quand tu retourneras au village à bord de ta Twingo bouffée de rouille. Celui qui a assisté au Salon de l'auto, dans la famille, on le considère un peu comme on considérait celui qui avait fait son service il y a encore pas longtemps : c'est un homme. Ceux qui vont au Salon de la chaussure se taisent, honteux. Pas moi ! Moi, quand je vais au Salon de la chaussure, j'y vais comme on va au djihad ! J'y vais pour régler mes comptes avec les fabricants de chaussures qui ridiculisent la profession et humilient le consommateur. Ne vous est-il jamais arrivé d'acheter une paire de shoes super-jolies, méga-costaudes ? Le genre de pompes dont vous vous dites : avec elles, c'est pour la vie ! Et, de fait, vous avez fait le bon choix, c'est de la super-came. Elles durent, durent... Et puis, un jour, les lacets, les mignons petits lacets assortis pètent. Enfin, un lacet pète. Jamais les deux en même temps. Bref, rien de grave, un lacet, ça se remplace. Un lacet, oui, mais pas CE lacet, exactement dans les tons de vos chaussures ! Aucun magasin, aucun savetier ne vend LE lacet qui vous manque. Du coup, vous achetez une moche paire de lacets marronnasses qui finissent de vous dégoûter de vos pompes. Elles finiront à la cave.

Je crois que vous en serez d'accord, il faut pendre les fabricants de chaussures indignes avec les résidus de tous vos lacets que vous aurez eu soin de nouer ensemble. *Amen.*

Mort à l'usager en colère !

Vous avez noté que dans le train de banlieue qui vous amène au boulot, votre voisin de banquette fait tous les efforts qu'il peut pour éviter de croiser votre regard. Vous-même, vous préférez, durant tout le trajet, vous abîmer dans la lecture d'une affichette qui fait la promotion de SOS Amitié plutôt que de fixer l'être humain qui vous fait face, ne serait-ce qu'un demi-quart de seconde. Et si jamais le cahotement du train fait que le genou du type vient effleurer le vôtre, vous vous sentez tous les deux atrocement gênés. Dans le train, la règle tacite veut que, non seulement chacun ignore farouchement l'autre, mais également que chacun se débrouille pour être le plus transparent possible. Des non-êtres voyagent en compagnie de non-êtres. Vous ne laissez rien filtrer de votre vie privée, vous ne donnez aucun indice sur l'homme que vous êtes, l'autre non plus. Et si jamais un matin vous êtes au fin fond du désespoir et que ça se voit sur votre tête, si jamais le cancer ou la dépression qui vous ronge vous fait la tronche d'un cocker qui se noie, personne ne fera la démarche de vous demander si vous avez besoin d'aide. Vous ne vous plaignez pas, vous acceptez la terrible et intangible règle du train. Le seul cas de figure où votre voisin se fera remarquer, c'est le jour où le train aura un peu de retard. Le conducteur annonce que pour des raisons techniques le 7 h 41 n'arrivera pas à l'heure à la gare. Aussitôt, l'autre qui vous paraissait un bout de bois revient à la vie. Il s'agite et regarde frénétiquement l'heure à son bracelet-montre en poussant d'énormes soupirs. Il communique ! Il vous dit quelque chose, à vous et à tout le wagon ! Il exprime un sentiment, une opinion ! Il veut faire savoir à tous qu'il est agacé par le retard du train. Des mois, peut-être des années de mutisme, pour finalement signifier que « Pfff ! la SNCF, elle exagère… ».

Je crois que vous en serez d'accord, l'ectoplasme qui enfreint la loi du silence juste pour dire son mécontentement d'un service public magnifique doit être jeté sous les roues d'un train de marchandises. *Amen.*

Mort aux indécis !

Vous pensez vous attabler avec des amis. Dans le tas, il y en a, certes, mais il y a aussi ce pénible qui va vous gâcher le repas. Le serveur vous a laissé un bon quart d'heure pour étudier la carte. Le pénible, qui hésite entre la brandade de morue et le cassoulet, demande un sursis. Dix minutes plus tard, le garçon rapplique, le stylo et le carnet de commande au garde-à-vous. Non, il voit pas, le pénible, ce qu'il va prendre. C'est que la brandade, il adore ça, mais le cassoulet – qu'il adore aussi – il a tellement peu l'occasion d'en manger qu'il se laisserait bien tenter. Qu'est-ce qu'ils en disent, les clients des tables voisines ? Et le pénible de reluquer dans les assiettes et de sonder le serveur. Il est bon, le cassoulet ? Vraiment ? Mais la brandade n'est-elle pas encore meilleure ? Le serveur trépigne, le pénible s'excuse, mais bon, c'est lui le client, et, vu le prix, il a quand même le droit d'en savoir le plus possible sur la matière qui va capitonner les parois de son estomac et celles de ses chiottes. Les amis du pénible le pressent, avec humour d'abord, rage ensuite, de se décider, bordel ! On sent déjà que c'est foutu pour la bonne ambiance. Le pénible mettra encore un certain temps avant de se prononcer (il prendra finalement un steak-frites avec des frites, et puis non, tiens, avec des haricots verts, euh, non, vous mettrez moitié-moitié), comme si son avenir dépendait du choix qu'il allait faire. Il est à la croisée des chemins : s'il prend la brandade, peut-être que sa vie sera gâchée, à moins que ce soit en prenant le cassoulet qu'il se condamne... Entre deux plats – qu'il adore –, il faut qu'il prenne celui qu'il aime le plus. Et c'est au restaurant qu'il choisit de s'interroger sur ses goûts profonds. La table devient un divan, et ses compagnons des psychanalystes malgré eux.

Je crois que vous en serez d'accord, il faut se saisir du pénible afin de lui faire ingurgiter de force quelques litres de Destop. Il devrait crever avant d'avoir le temps de dire qu'il aurait préféré du Domestos. *Amen.*

Mort aux binoclards « tendance » !

Allez chez un opticien pour acheter une monture de lunettes. Examinez attentivement les modèles exposés. Vous ne remarquez rien ? Les lunettes rondes ont disparu. Ah, non, il en reste encore une paire dans ce magasin, mais elle est tellement moche que même une taupe refuserait de la porter. On est dans l'aire des lunettes rectangulaires. Évidemment, le marché ne s'est pas adapté à la demande, comme trop de gens le croient encore, les gens ne demandent rien. Le seul talent du marché consiste à faire croire aux consommateurs que ce sont eux qui ont désiré les produits qu'on leur impose. Vous imaginez l'humanité se lever un jour en hurlant d'une seule voix : « On veut des lunettes rectangulaires » ? Non. Pourtant, de gré ou de force, tout le monde porte des lunettes rectangulaires. Après tout, ce n'est pas le pire des crimes du totalitarisme marchand que de nous obliger à avoir les yeux à angles droits. Mais, parmi la gamme des lunettes rectangulaires, il est un modèle qui fait des ravages : la monture en plastique noir à bords épais. Au début, cette atrocité était le signe distinctif du créateur de pub ou de la journaliste de mode. Je suis vaguement artiste et je vis à Paris, au plus près du trou du cul qui pond les tendances pour le reste du monde. Le seul avantage de ces lunettes, c'est qu'elles font oublier la tête de con de celui qui s'en affuble. On ne voit qu'elles. Ces binocles, c'est le cadre derrière lequel disparaît le tableau. Et puis, on les repère de loin. Dans une soirée, par exemple, elles signalent le pédant et le mondain sur lesquels il faut éviter d'échouer. Le problème, c'est que ces lunettes ont contaminé tous les milieux sociaux. Tout le monde veut ressembler à un graphiste, à un critique cinéma ou à une chroniqueuse télé. Alors, pour éviter de finir autiste, on se remet à aborder les gens marqués du sceau de la suffisance. Et on tombe parfois sur un véritable publicitaire...

Je crois que vous en serez d'accord, il faut laisser entendre à ces binoclards que la canne blanche est tendance, ils demanderont alors à se faire énucléer. *Amen.*

Mort aux slameurs !

C'est quoi, un slameur ? C'est un rappeur qui ne sait pas chanter. Alors il déclame. Il déclame de la poésie. Comme le rappeur, il peut parler des galères d'la vie, tu vois, mais le slameur fait de la littérature. Là où le rappeur gueule : « Société, enculée de sa race ! », le slameur énonce gravement : « La conjoncture est telle qu'il est à craindre que la jeunesse ne se rebelle. » Oui, le slameur est un pédant qui écrit comme un cul. Il a eu 11,5 à la rédac du brevet des collèges, du coup, dans la bande, il a décrété que c'était lui, l'intello. Certains slameurs se revendiquent philosophes. « Jeune, écoute mes paroles, elles sont empreintes de sagesse, elles peuvent t'aider à avancer dans la vie. » À la différence du rap, le slam plaît à la bourgeoisie. Un jeune de banlieue qui essaie de singer Brel, c'est rassurant. Le style est grotesque, maniéré, lourdingue, mais un sauvage qui tente de s'approprier les codes culturels et le langage de la classe dominante, c'est tellement mignon. « C'est pas un slameur qui va foutre le feu à ma BM, songe le critique disque parisien, il mérite un encouragement. » Avant de partir à la poubelle, le disque de slam, contrairement au disque de rap, aura eu une bonne critique dans la presse. Le rap donne envie de péter la gueule aux flics, le slam donne envie de gifler le slameur. Et quand le slameur fait de l'humour, on a envie de vider la boîte de Prozac. En effet, souvent, le slameur se prend pour Devos. Il adore les jeux de mots. Mais attention, ce ne sont pas des jeux de mots gratuits et imbéciles à la Boby Lapointe, ce sont des jeux de mots à double, triple ou quadruple sens, qui veulent dire plein de choses (et leur contraire). Bref, c'est une bouillie prétentieuse qui ne veut rien dire, mais dans laquelle on aura versé le contenu de plusieurs dictionnaires pour faire illusion. Certains voient dans le slam la preuve d'une incroyable vivacité de la langue française, alors que le slam pue la naphtaline.

Je crois que vous en serez d'accord, il faut scier les cordes vocales de ces curés de la poésie avec une lime à ongles rouillée. *Amen.*

Mort à ceux qui disent « bobos » !

Bobos, pour bourgeois-bohèmes. Quel besoin y avait-il de créer cette sous-catégorie pour désigner le bourgeois ? Et, d'abord, qu'a-t-il de bohème, le bourgeois ? Il consomme de la culture, il bouffe bio, il s'habille équitable, il promène ses mômes dans une poussette à trois roues, il écoute de la musique du monde, il vote plutôt à gauche et sans doute n'aime-t-il pas les bourgeois... Et alors ? Qu'a-t-on à foutre de tous ces détails sociologiques qu'on emploie pour faire oublier l'essentiel ? Le bobo est surtout un bo. Un bourgeois. Un gros fumier de bourgeois de merde à l'ancienne qui sortira son fusil à pompe dès que quelqu'un essaiera de mettre en pratique une idée avec laquelle il est sûrement d'accord en théorie : redistribuer les richesses du monde. Dès qu'il faudra qu'il rende un peu de cette richesse qu'il a fatalement piquée au Sud, il votera pour le premier facho qui lui garantira la préservation de son mode de vie. Le bobo est devenu la cible des plaisanteries de tous les comiques pas drôles, dont la France a la spécialité. Les bobos adorent qu'on se moque d'eux, ils pratiquent volontiers l'autodérision. Tiens, une plaisanterie : la preuve que le bobo est bobo, il a Télérama sur la table du salon... « Ah, ah ! bien vu », s'exclamera le bobo en lisant cette blague irrésistible dans Télérama.

On met en scène l'anodin, le superficiel, on colle un nez rouge au bourgeois, et on ne voit plus le bourgeois, mais le nez rouge. Aujourd'hui, le bourgeois est moins gêné d'être bohème que bourgeois. Bohème n'a pas de véritable sens politique, au contraire de bourgeois. Et le bourgeois a tout intérêt, s'il n'a pas envie de se retrouver un jour au bout d'une pique, à faire oublier le plus possible qu'il est l'ennemi du genre humain. Le bohème accolé à bourgeois est là pour faire diversion et amuser les couillons.

Je crois que vous en serez d'accord, il faut pendre les faussaires qui utilisent l'expression « bobo » au lieu de « bourgeois » avec des tripes à la mode de Caen, un plat populaire. *Amen.*

Mort aux tatoués !

Je suis unique. C'est un fait. Oui, mais voilà, je n'en suis pas tout à fait sûr. Tellement pas sûr qu'il faut que je me le prouve en allant chez le tatoueur. En me faisant graffiter la bidoche, je vais me singulariser. Comme on reconnaît une marque à son logo, on me reconnaîtra à mon tatouage. Un tatouage qui exprimera en même temps mes goûts, mes choix, mes engagements, bref, la nature profonde de ma personnalité. C'est ainsi que des milliards de jeunes filles se retrouvent avec un papillon tatoué sur l'épaule et que des milliards de jeunes hommes arborent un dragon au même endroit. À la question « Comment puis-je le mieux exprimer ma différence ? » la majorité de l'humanité répond : « En faisant comme tout le monde. » Pour une personne qui se fait tatouer sur le sein un kangourou laineux en train de se faire épiler la queue par un rabbin albinos, ils sont nombreux, ceux qui repartent de chez le tatoueur Carrefour avec leur prénom écrit en chinois (sur le biceps pour le mâle, sur la cheville pour la femelle). Ceux-là, lorsqu'ils ont la curiosité d'ouvrir un dictionnaire de chinois (ce qui n'arrive heureusement jamais), constatent qu'en fait de prénom l'artisan a gravé pour l'éternité dans leur chair le mot « essuie-glace », dont le modèle a été trouvé dans un catalogue de pièces détachées d'importation. Passons sur ces pauvres gamines qui arborent dans le bas du dos une sorte de frise celtique qui semble être destinée à indiquer au petit ami attardé le plus court chemin vers le trou du cul. Ce n'est qu'autour de la soixantaine que ces tatouages érotiques deviendront vraiment uniques. En effet, toutes ces jeunes filles ne se friperont pas de la même manière, les bourrelets détendus ne se répandront pas tous pareil au-dessus de l'élastique du slip. Chacune aura alors vraiment son style.

Je crois que vous en serez d'accord, il faut imprimer au fer rouge sur le front de ces benêts le mot « essuie-glace » en français. *Amen.*

Mort aux supporteurs de rugby !

Je les entends déjà : « Le rugby, c'est pas comme le foot. C'est un sport qui a su rester pur ! Pas de dopage, pas de magouilles d'argent, dans le rugby ! Que des copains qui s'amusent à se pousser dans la boue et à se tirer le short… » C'est ça qui fout la nausée chez les supporteurs de rugby : ce sont leurs mensonges de marchands de bagnoles d'occasion. Cette faconde à accent qui sonne aussi faux qu'un piano de Delerm. Aucun d'eux n'ignore que le milieu du rugby est aussi pourri par le fric, les amphétamines, le chauvinisme et la connerie en fûts de trente litres que le foot. Mais ces gros bébés à cou de taureau continuent de jouer les niais en vantant leur sport préféré comme étant une exception. Ces gras du bide, qui refoulent leur homosexualité sous des kilo-tonnes de testostérone et qui attendent la troisième mi-temps pour se tripoter les burnes sous la douche, sont les pires faux jetons que la Terre ait portés. Ils ne rêvent que d'une chose, mais pas question d'admettre une seconde que c'est de tâter la quenelle du voisin ! D'ailleurs, évoquez simplement leur penchant, ils vous péteront la gueule en hurlant, terrorisés, qu'ils ne sont pas des tafioles ! Et quand ils se bourrent la gueule à en gerber leurs tripes, ils refusent qu'on les compare à des supporteurs de foot.

Les footballeurs ne savent pas s'amuser, ils ont l'alcool méchant. Eux, ils font la fête ! Boire pour mettre en panne leur cerveau de diplodocus et oublier leurs frustrations, ils appellent ça faire la fête ! Plutôt écosser des petits pois en écoutant du Cabrel que de faire la fête avec des supporteurs de rugby. Le monde de l'ovalie pue la même pizza froide et la même bière rance que le monde du ballon rond, mais les supporteurs de rugby s'acharnent dans leur négationnisme.

Je crois que vous en serez d'accord, il faut empaler les supporteurs du ballon ovale au sommet des poteaux de rugby (chacun son tour, il n'y a pas la place pour tout le monde). *Amen.*

Mort aux pubis « à la française » !

Comme il y a des jardins à la française, il y a des pubis à la française. Pas un poil ne dépasse du buisson. Un buisson réduit le plus souvent à un carré de gazon coupé ras, en fait. C'est... Non, vous n'avez pas la berlue, la moustache de Hitler ! Vous allez pour pique-niquer dans le slip de cette charmante fille et vous tombez nez à nez avec le Führer ! Le choc ! Vous alliez rouler une pelle au criminel nazi... Vous imaginez le traumatisme pour les filles et fils de déportés qui par hasard se retrouvent confrontés à cette épreuve ! Bon, les moins politisés trouveront que le morceau de Velcro ressemble plutôt à la moustache de Charlot. Ceux-là partiront d'un rire franc et clair. De toute façon, que la pilosité de votre partenaire provoque l'horreur ou l'hilarité, elle sera vexée. Inutile d'envenimer les choses en expliquant qui vous avez cru voir entre ses cuisses. Certains adeptes du pubis taillé à la française diront qu'ils préfèrent se retrouver à devoir brouter Hitler que Karl Marx. Ceux-là, vous aurez soin de les dénoncer au MRAP ou à la LICRA. Dans quel magazine, dans quel salon d'épilation, dans quel film de cul des jeunes et moins jeunes femmes vont-elles chercher leur inspiration ? En matière de poils, qui fait la mode ? Y a-t-il des défilés de pubis où l'on peut voir tous les modèles en vogue ? Qui a réussi à persuader nos copines de se biner la motte aussi ridiculement ? Qui leur a fait croire que c'était joli, mignon ou sexy ? Les jardins à la française, c'est très beau au château de Versailles, mais – et pardon de la vulgarité – si tirer un coup devient aussi chiant qu'une sortie scolaire, moi, je reste à la maison pour regarder *Derrick*. À ce propos, les Allemandes sont réputées avoir sur les jambes les poils que nos amies n'ont plus au... enfin... là.

Je crois que vous en serez d'accord, il faut incendier les pubis de la honte afin qu'il puisse un jour de nouveau y pousser des poils en toute liberté. *Amen*.

Mort aux dessins d'enfants au bureau !

Les dessins d'enfants – de leurs enfants – que vos collègues ou vos supérieurs ont collés aux murs de leur bureau tranchent avec la grisaille ambiante. Mais, au lieu d'égayer la pièce, ces affreuses taches de couleurs ajoutent le sordide à l'austérité. Qu'ont-ils tous à exhiber les gribouillages insignifiants de leur progéniture ? Ils veulent prouver au monde que leur chiard est un génie pour son âge ? Rendez-vous compte, le petit a deux ans et il dessine comme… comme… tous les enfants de deux ans. Oui, bon, d'accord, le petit barbouille comme on barbouille à cet âge, mais ce petit est exceptionnel en cela qu'il est le mien ! C'est sentimental, on comprend. Si ce n'était pas aussi agressif pour le nez des collègues, il est certain que certains parents afficheraient les couches de leur bambin aux murs. C'est de la merde, mais c'est la merde de mon p'tit bout d'chou ! Et puis cette merde est le signe que j'ai une vie – une vie de famille – en dehors du boulot. J'étale les preuves de mon bonheur familial pour me rassurer moi-même. Oh, les collègues ! Vous avez vu comme je suis heureux, équilibré, épanoui, bien dans ma peau et dans la société ! Vous remarquerez d'ailleurs que le salarié qui se prend pour un directeur de galerie d'art tourne le dos aux œuvres de son enfant. Elles sont punaisées de telle sorte que le visiteur les voie tout de suite en entrant dans le bureau. Et puis, il y a ce connard de DRH qui affiche les dessins de son gamin pour montrer à l'employé qu'il a convoqué en vue de le licencier qu'il n'est pas tout à fait un monstre. D'accord, je fais un boulot de nazi, mais je suis aussi un être humain doué de sentiments. Doué de goûts de chiottes, oui ! Le bourreau mal dans sa peau qui essaie d'attendrir le condamné à mort avec les croûtes pourries de son gosse !

Je crois que vous en serez d'accord, il faut colorier ces fétichistes de la vomissure de leur enfant à coups de cutter, histoire de leur apprendre le beau. *Amen.*

Mort aux verres mal rincés !

Le bistrotier obséquieux qui se prend pour un sommelier vous conseille le vin le plus cher de la carte. C'est la règle du jeu. Celui qui entre dans un restaurant (qu'il ait trois étoiles au *Michelin* ou un grumeau au *Guide du routard*) en ignorant qu'il s'y fera dépouiller est un gros niais qui ferait mieux de rester bouffer des chips devant sa télé. Pour ne pas passer pour un rat auprès de l'otarie outrageusement maquillée qui vous accompagne et dont vous avez projeté de toucher les seins à l'issue du repas, vous acceptez la bouteille de château-mescouilles que l'autre escroc est en train de vanter. Et que le goût est goûteux, et que le tanin est tannique et que la robe est belle, vous m'en direz des nouvelles. Vous portez alors à vos lèvres le verre mouillé de trois larmes du fabuleux nectar. Le patron attend votre verdict, le sourire déjà triomphant. Une épouvantable odeur de détergent vous agresse d'abord les naseaux, puis ravage vos papilles. Vous recrachez le pinard dans votre serviette le plus élégamment possible, le visage déformé par une grimace qui ne vous aidera pas à séduire votre invitée. Le patron tire une gueule pire que si vous aviez chié sur la table. « Le vin n'est pas bon ? », hasarde-t-il, défiant. Impossible de dire si le vin est bon ou non, connard, le verre a été mal rincé, il pue le Paic citron ! Le serveur reste bouche bée, votre explication ne fait pas partie des trois répliques pour lesquelles son cerveau de béchamel a programmé une réponse. Le vin est bouchonné, le vin est trop frais, le vin est trop jeune, ça, il comprend. Le gros lourd finira par vous apporter un autre verre, qui sent lui aussi l'eau de vaisselle. Son esclave pakistanais n'étant pas encore arrivé pour la plonge, il ne s'abaissera pas à rincer lui-même deux verres à l'eau claire.

Je crois que vous en serez d'accord, cette engeance de porc doit disparaître de la surface de la Terre, noyée dans une cuve d'eau de Javel. *Amen.*

Mort au bleu lavande !

Plus vous descendez dans le sud de la France, plus le prix de l'immobilier grimpe. C'est notre loi d'Archimède à nous, Français. Et il n'est pas question ici de contester les lois. Quand les Hollandais auront racheté toutes les fermes en ruine de Provence afin de réaménager leur fosse septique en cave à vin, il restera des Parisiens pour investir dans les tas de cailloux qui délimitent les champs de lavande coincés entre l'autoroute et la ligne TGV. Dans cette région, toute bouse de vache sur laquelle il est possible de planter un piquet de toile de tente devient un terrain hors de prix. Soit. Quelques autochtones se font du blé sur le dos des touristes, c'est de bonne guerre. En revanche, il est quelque chose d'inadmissible, même de la part de Provençaux, c'est trop de mauvais goût. On a fermé les yeux sur leurs putains d'atroces santons de Provence, sur leur tissu provençal de merde et leurs ignobles cigales en terre cuite, mais stop ! Traversez la Provence, et observez la couleur dont on a peint les volets de neuf baraques sur dix : ils sont bleus, MAIS… bleu lavande. On a l'impression que toute la population s'est ruée en même temps chez Leroy Merlin pour commander le même ton. Les jolies maisons en pierre de taille comme les jaunasses niches à cons en Placoplatre® ont ceci en commun d'avoir les volets lavande. Évidemment, il y a autant de rapport entre la couleur d'un champ de lavande et la couleur de ces volets qu'entre le teint de pêche de Mélissa Theuriau et un seau de mastic. C'est l'intention qui compte. On a voulu que « ça fasse » lavande, non pas dans le simple but de faire joli (c'est raté), mais pour rappeler au touriste qu'il est en Provence. Il faut justifier les prix de l'immobilier. Il ne faut pas que le Hollandais ni le Parisien doute un seul instant qu'il est en Provence, sinon il sera réticent à sortir son fric. Les volets bleu lavande, c'est le papier tue-mouches adapté aux touristes.

Je crois que vous en serez d'accord, il faut peindre les Provençaux en gris hérisson afin qu'ils se fassent écraser par les camping-cars belges. *Amen.*

Mort aux fumeurs !

Cela peut paraître paradoxal de souhaiter la mort de gens qui se suicident. Le problème, avec la cigarette, ce n'est pas qu'elle tue, mais qu'elle tue lentement – trop lentement – et qu'elle pue long-temps. Le fumeur se contenterait d'être un fumeur, il ne déran-gerait personne. Malheureusement, le fumeur ne peut concevoir de fumer seul chez lui. Non, le fumeur est comme ces jeunes enfants à qui l'on vient d'apprendre à faire sur le pot. Ils ont besoin que l'entourage soit témoin de leur exploit. « 'Aga'de, manman, j'ai fait caca ! » En effet, le fumeur a besoin d'être dans un lieu dit « convivial » pour cracher sa fumée. Boîte de nuit, café, salle de concerts, restaurant, casino… Il faut que ses manières de branleur suffisant, de poseur arrogant soient observées par tous lorsqu'il fait tomber sa cendre d'un coup de pouce expert ou qu'il aspire une bouffée en plissant intensément les yeux. L'enfant, en grandissant, renonce à la scène du pot pour s'isoler discrètement dans les toilettes. Croyez-vous que le fumeur attein-dra un jour ce niveau de maturité ? C'est peu probable. Non seu-lement la plupart des fumeurs restent coincés au stade anal, mais en plus, leur merde, ils la mettent à la bouche ! Cela dit, com-parons ce qui est comparable : un cul de bébé puera toujours moins que l'haleine d'un fumeur. Des études sérieuses l'ont prouvé. Les fumeurs devraient porter des couches-culottes sur le visage, mais vous savez à quel point ils sont rats : à part leur paquet de cigarettes, ils trouvent tout trop cher. Tenez, les traitements antitabac ! Ils sont hors de prix ! Si vous souhaitez expliquer à un fumeur qu'au bout du compte il sera financièrement gagnant de ne plus fumer, bon courage. Le fumeur renoncera à tout avant de renoncer à sa clope. Il renonce d'abord à sa fierté en acceptant de sacrifier sa vie pour financer la piscine d'un industriel du tabac. Et puis, il renonce finalement à la vie en crevant d'une tumeur.

Je crois que vous en serez d'accord, hâtons la fin de ces dégueulasses en sortant un lance-flammes lorsqu'ils nous réclament du feu. *Amen.*

Mort aux marchands de fringues !

Le marchand de fringues qui agrafe un antivol magnétique sur tous les modèles qu'il propose est un porc. D'une part, parce que l'antivol vaut bien trois fois le prix du vêtement qu'il a acheté à des esclaves mondialisés, d'autre part, parce qu'il vend le vêtement mille fois plus cher que ce qu'il lui a coûté. Mais bon, qu'attendre d'autre d'un commerçant ? En volant à la fois le producteur et le consommateur, il ne fait que son boulot de commerçant. Si le marchand de fringues est un porc, c'est surtout parce qu'il méprise celui qui produit sa marchandise comme celui qui l'achète. Le commerçant sabote à la fois le travail d'un ouvrier et le plaisir d'un consommateur. Le trou que laisse l'agrafe de l'antivol dans un col de chemise lorsque le commerçant le retire en est la preuve. Le commerçant bousille lui-même les vêtements qu'il vend de peur qu'on les lui vole en bon état... Le commerçant vend des fringues trouées au prix du neuf. Et, de fait, les fringues sont neuves puisqu'elles n'ont jamais été portées. Portées, elles le seront. C'est ainsi que des millions de crétins se trimbalent avec un trou dans leur col de chemise, leur bas de pantalon ou leur talon de chaussette. Quelques autres auront demandé à leur maman de ravauder leurs nippes, ce qui fera dire à l'entourage qu'ils se fournissent chez Emmaüs. À la caisse, trop peu de consommateurs refusent de payer le vêtement mutilé, ce qui permet aux marchands de continuer à poinçonner impitoyablement leur marchandise. Acheter une jupe trouée est passé dans les mœurs. On attend avec impatience que les marchands de chambres à air se mettent aux mêmes pratiques que les marchands de fringues, afin de vérifier jusqu'à quel point le consommateur est une larve apathique. Je crois que vous en serez d'accord, il faut poinçonner le crâne des marchands de fringues de telle manière que, lorsqu'on retire l'instrument, les glaires qui lui servent de cerveau s'en échappent à gros bouillons. *Amen.*

Mort aux détergents !

Ça sent quoi ? La fraise ? Non... Mais on devine que le malade mental qui a créé ce parfum s'est inspiré pour partie de l'odeur de la fraise. Ou, plus exactement, de l'odeur du Malabar à la fraise. Y a de la fraise là-dedans, mais pas que. On a dû y mélanger plusieurs fragrances réputées être agréables au con élevé aux bonbons Haribo. Le détergent qu'utilisent les esclaves pour nettoyer les couloirs du métro, des gares et des parkings de galeries marchandes a cette odeur inimitable qui cherche pourtant à imiter une odeur connue. Une épouvantable odeur sucrée qui vous colle les trous de nez et vous attaque les neurones. La plupart des techniciens de surface meurent, dans d'atroces souffrances, de cancers du poumon ou du cerveau, ce n'est pas un hasard. Le produit qui leur sert à nettoyer la pisse de clodo est un milliard de fois plus nocif pour la santé que l'urine de pauvre. La pisse de clodo pue, mais le produit qu'on emploie pour la désincruster pue ET tue. C'est le napalm des voies respiratoires. D'anciens scientifiques nazis embauchés au lendemain de la guerre par les entreprises qui fabriquent des produits d'entretien ont élaboré cette arme absolue contre la saleté, et donc l'humanité. Ne soyons pas démago, le pipi dont les SDF recouvrent les murs des coins sombres pue.

Les sadiques qui dirigent nos villes ont fermé la plupart des chiottes publiques. D'une part, pour réaliser des économies, d'autre part, pour humilier les sans-abri et les prostatiques. Rouvrons les toilettes publiques et, surtout, cessons d'imposer cette insupportable et infantilisante odeur de « propre », qui n'est en fait que la nouvelle odeur de la mort. Il y a un siècle, la mort sentait la charogne, aujourd'hui, elle sent la fraise. La planète crèvera étouffée dans un paquet de Chamallows.

Je crois que vous en serez d'accord, il faut plonger les fabricants de détergents chimiques dans des bassins d'urine naturelle jusqu'à ce qu'ils s'y noient. *Amen.*

Mort à la business class !

L'hôtesse tire le rideau qui sépare la classe touriste de la classe affaires. C'est l'heure de la collation. Pour ceux qui sont en classe touriste, c'est l'heure de l'humiliation. On suppose que, derrière ce rideau, les richards vont s'empiffrer de ce qu'il y a de meilleur sur Terre. Le champagne va couler à flots, et peut-être même que les hôtesses ivres d'un désir contenu depuis le décollage vont lentement quitter leur uniforme pour se livrer à des caresses expertes sur des gros porcs avinés. Le commandant de bord, qui a la gueule de George Clooney, rejoint son personnel navigant pour honorer des vieilles pouffes embagousées. Les stewards et les copilotes s'y mettent. Les corps tartinés de foie gras et de caviar s'entremêlent... Et, pendant ce temps-là, en classe touriste, on grignote deux biscuits apéritif qu'on arrose d'un dé à coudre de Coca. Cessez de fantasmer, mes frères ! Une erreur informatique au moment de l'enregistrement m'a fait passer de l'autre côté du rideau. La seule chose qui différencie la *business class* de la bouffe-merde class, c'est ce rideau qui se tire. Le seul plaisir qu'éprouvent les bourgeois à être en première, c'est de montrer aux prolos qu'eux sont en seconde. On sert les mêmes mini-rations de crackers Belin, qu'on fait passer avec les mêmes mini-rations de jus de fruits Leader Price. Ah, pardon ! Il y a tout de même une différence notable entre les deux côtés du rideau : chez les riches, on boit dans des verres en verre, tandis que chez les pauvres on boit dans des gobelets en plastoc (des fois que le pauvre se serve du verre brisé pour détourner l'avion sur la Corée du Nord). C'est tout. Pourquoi, alors, payer si cher pour être en *business* ? Pour pouvoir étaler son gros cul à l'aise, certes, mais surtout pour être le support des fantasmes des loquedus de la classe touriste.

Je crois que vous en serez d'accord, il faut enfermer à vie les directeurs des compagnies aériennes dans des chiottes d'avion et ne les nourrir qu'avec des biscuits apéritif. *Amen.*

Mort aux concepteurs de portables !

On a tous fini par céder. Il faut dire que la pression était forte, trop forte. J'ai un portable, tu as un portable, nous avons un portable. Comment accepter d'être le seul à ne pas pouvoir appeler sa femme depuis le supermarché pour lui demander si c'est des golden ou des pink lady qu'il faut rapporter pour faire la tarte aux pommes. Soit, le progrès est en marche, ne lui faisons pas de croche-pied. Mais cette avancée technique, qu'on nous vend comme un progrès, cache un complot mondial, destiné à transformer notre crâne en bocal à poissons rouges. Je ne parle pas des micro-ondes qui grillent nos neurones. C'est un détail, comparé à ce qui nous menace vraiment. On m'a vendu un téléphone portable avec lequel je peux certes envoyer des SMS, mais sans accent circonflexe ni cédille. La mémoire de mon portable dispose d'une large variété de smileys débiles, mais je n'ai pas accès au circonflexe, ni à la cédille. Certains diront que c'est sans importance, une phrase dans laquelle on a supprimé cédilles et circonflexes est parfaitement compréhensible par tous. Ouais… Ça commence par la cédille et le circonflexe, et puis on vire le trait d'union, la majuscule, l'accent grave, aigu, etc. Le but étant de supprimer toutes les touches du clavier pour ne plus laisser que

« étoile » et « dièse ». Un peuple et puis toute une civilisation qui ne communiqueraient plus qu'avec des étoiles et des dièses seraient encore plus faciles à manipuler. Les mots sont une arme pour changer le monde, les retirer de la circulation garantirait aux fabricants de portables de le diriger. Qu'on puisse tout faire avec un portable (téléphoner, filmer, photographier, calculer, enregistrer, regarder la télé, surfer sur le Net…), SAUF écrire sans fautes d'orthographe, ne met la puce à l'oreille de personne ? On nous offre le futile pour nous confisquer l'essentiel !

Je crois que vous en serez d'accord, il faut écorcher vivants les concepteurs de portables avec des circonflexes et des cédilles acérés. *Amen.*

Mort aux étiqueteurs de pommes !

C'est la sorcière de Blanche-Neige qui a gagné. Les pommes polluées aux pesticides réduisent autant notre espérance de vie que le nombre de spermatos vivaces dans nos couilles. Tout le monde guette la catastrophe nucléaire avec angoisse, et c'est la pomme, la bête pomme, qui viendra à bout de l'humanité. Si on ne veut pas s'empoisonner, il faut laver sa royal gala à l'eau de Javel et la peler jusqu'aux pépins. C'est trop chiant. La vie est trop courte pour s'emmerder à éplucher des pommes. Partir chasser la pomme bio est encore plus pénible. Mais alors, pourquoi bouffer des pommes ? Parce que c'est obligatoire. Il faut manger cinq fruits et légumes par jour pour prolonger sa vie jusqu'au cancer. Sinon, on meurt d'une maladie cardio-vasculaire, et là, c'est la honte. Dans les cinq fruits obligatoires, on est forcément confronté à un moment à la pomme. Va pour croquer à belles dents les pesticides, mais il faut avant ça enlever l'étiquette collée sur le fruit. Le producteur a mis sa marque. Autant les pesticides n'ont pas de goût et se digèrent bien, autant ce putain d'autocollant est imbouffable. Et vas-y, essaie de le décoller ! Ça résiste. Tes ongles finissent par s'enfoncer dans cette peau que tu ne voulais pas peler, et, quand tu es venu à bout du papelard, il reste à sa place une tache de colle méga-poisseuse. Le plaisir de manger une pomme empoisonnée est gâché par cette manie que le gros péquenot a prise à l'industriel : apposer son logo sur son produit. Quand il va aux chiottes, je parie qu'il emporte avec lui une provision d'autocollants afin de marquer ce qui tombe de son sale cul ! Si l'on ne trouve plus de vers dans les pommes, ce n'est pas à cause des produits toxiques que les paysans déversent dans leurs champs, mais parce que les bestioles ne supportent plus la proximité de ces abrutis.

Je crois que vous en serez d'accord, il faut obliger les étiqueteurs de pommes à avaler le contenu d'une centaine de bâtons de colle Uhu. *Amen.*

Mort à ceux qui rentrent d'Inde !

« Viens à la maison, on te racontera. » Raconter quoi ? Mais l'Inde, putain, l'Inde ! Ce couple d'amis rentre d'Inde ! La preuve qu'ils rentrent d'Inde, ils te reçoivent assis par terre. « Mais tu peux t'asseoir sur le canapé si tu veux... » Ils sont pieds nus, car, vois-tu, « l'Inde nous a fait totalement changer notre vision du monde ». Léger sourire, regard profond : « C'est là-bas, en Inde, qu'est la vraie vie. » « Si les Indiens sourient malgré tout ce qu'ils endurent, c'est qu'ils ont compris quelque chose qu'on a oublié, nous, ici, en Occident. » Hochements de tête dégoûtés. « Ici, on se plaint tout le temps, on ne connaît pas notre bonheur. » Évidemment, séance photo : des pouilleux aux dents jaunes et des pauvres nanas enrobées de safran et de fuchsia avec un pichet sur la tête. Et puis des vaches, des vaches... Maigres, les vaches. « Mais, même du sourire des vaches, il semble émaner une certaine sérénité, non ? » Allez, on passe à table : bouffe indienne ratée. « C'est fait maison, mais chez Shopi on n'a pas trouvé tous les ingrédients. » En tout cas, l'année prochaine, les amis retournent en Inde. « Il faut y rester au moins quinze jours, parce que la première semaine tu la passes sur les chiottes. On n'a plus l'habitude de manger des produits sains, c'est pour ça. » Pendant encore un mois, ils vont réciter Le Guide du routard, mais toute leur vie ils pourront dire : « On a failli s'installer en Inde, mais pour le boulot de François, c'était pas pratique. » La semaine prochaine, je suis invité à une soirée de potes qui rentrent du Mexique, j'y vais pas. Ils vont sûrement avoir compris des trucs sur la vie que même la vie, elle va en rester baba. Les amis, faut pas que ça rentre de voyage.

Je crois que vous en serez d'accord, il faut inoculer la lèpre aux amis qui rentrent d'Inde afin que leurs lèvres tombent en lambeaux dès le premier récit de voyage. *Amen.*

Mort aux graphistes !

Le manque d'imagination n'est pas un crime. Quand on est graphiste, ça peut tout au plus être une faute professionnelle. Il n'est pas question non plus de condamner le graphiste qui se sera inspiré d'une œuvre célèbre pour les besoins de son travail. Détourner un tableau, une image, une sculpture n'implique pas nécessairement que celui qui se livre à cet exercice est une feignasse ou un branleur. Encore faut-il que ce soit fait avec un minimum de talent, d'envie, de gourmandise. Ce n'est plus le cas, et depuis longtemps des espèces de demeurés exploitent la Lune de Méliès. Vous savez, cette lune tarte à la crème qui se prend une fusée dans l'œil. Cette image à elle seule symbolise le cinéma. Le plus ignorant des graphistes la connaît. N'importe quel vertébré ayant des yeux reliés d'une manière ou d'une autre au cerveau la connaît. Même à un animateur télé, ça doit dire quelque chose. Or donc, dès que le graphiste nul en aura l'occasion, il se servira de cette image devenue cliché. On lui commande une affiche sur un festival de cinéma de la SNCF ? Il pondra une affiche représentant une moche Lune se prenant un train dans l'œil. Une affiche pour un festival de films de cul ? La même Lune aura un godemiché dans l'œil. Une invitation pour le festival du court-métrage de Fionville-sur-Ratiboise ? Le pauvre astre aura une baratte à beurre dans l'œil. Pourquoi une baratte à beurre ? Mais, bande d'ignares, parce que la baratte est le symbole de Fionville-sur-Ratiboise ! À cause de ces brutes qui se sont fait graver sur le disque mou le logiciel « symboles exploités jusqu'à la corde », il m'est devenu pénible de revoir le chef-d'œuvre de Méliès. J'ai peur d'avoir l'impression que c'est Méliès qui a pompé sur ces ratés.

Je crois que vous en serez d'accord, il faut enfoncer une palette graphique dans l'œil des graphistes jusqu'à ce qu'ils aient suffisamment d'imagination pour crier autre chose que « Ouille, j'ai mal ». *Amen.*

Mort aux prospectus des grandes surfaces !

Au fond de la boîte aux lettres, des prospectus qui vantent les prix exceptionnellement bas de la grande surface du coin. Ils servent de litière au reste du courrier et finissent à la poubelle sans avoir été lus. Mais un accident est vite arrivé. Une seconde d'étourderie, et voilà que vous portez le regard sur la première page du torchon publicitaire. Un énorme promotion, orange, de traviole et affublé de trois virils points d'exclamation, barre toute la largeur de la feuille. L'affreux logo de la marque paraît presque discret et distingué à côté du racoleur mensonge. En fait de promotion, la grande surface se contente d'indiquer en gras et en fluo le prix auquel elle vend sa côte de porc : 6,95 euros le kilo ! L'importance de l'arnaque est proportionnelle à la taille du prix. Mais c'est la photo qui illustre la réclame qui d'un coup vous fait véritablement basculer dans l'horreur : une paire de côtes de porc grandeur nature. C'est une photo complètement pourrie. Deux bêtes côtes de porc fuchsia sur fond jaune pisseux vous regardent dans les yeux. Dans quel charnier immonde le photographe alcoolique qui a réalisé le cliché est-il allé déterrer ses modèles ? C'est pas du boulot, merde ! Le prospectus vous dégoûte moins des côtes de porc que de la vie de ceux dont c'est le métier de mettre en scène des côtes de porc. Vous imaginez les coulisses du studio photo improvisé sur un bout de table du rayon boucherie. Vous imaginez le pauvre gars obligé pour survivre de photographier des côtes de porc, mais aussi des boîtes de bouffe pour chat, des rouleaux de papier cul ou des bouteilles de flotte de huit litres... Et tout ça avec un déjà vieil appareil numérique pas fini de payer. On en arrive à préférer la publicité qui ment et qui nous prend pour des cons à ces prospectus qui disent tout de la misère humaine. Des côtes de porc mal photographiées peuvent vous pousser au suicide.

Je crois que vous en serez d'accord, il faut se servir des prospectus ainsi que des allume-barbecue en promotion à 3,99 euros pour incendier les grandes surfaces. *Amen.*

Mort aux lampes basse tension !

Ouais, d'accord, la planète se réchauffe, les glaces fondent et les ours blancs n'ont pas assez de sous de côté pour s'acheter des combinaisons de scaphandrier. Faut faire quekchose ! Dans le catalogue des belles idées qui vont repousser la fin du monde de deux ou trois jours, il y a le remplacement des ampoules électriques classiques par des ampoules électriques dites à basse tension. Il s'agit d'ampoules relativement chères à l'achat, mais qui ont une durée de vie plus longue. Surtout, elles consomment moins d'énergie que les ampoules classiques. Ça, on veut bien le croire, qu'elles consomment moins, puisqu'elles éclairent que dalle ! L'éclatante lumière de l'ampoule qui pollue a été remplacée par une espèce de halo jaunasse et tristouille. L'ampoule à basse tension éclaire autant qu'un cierge. Pourquoi ne pas dans ces conditions équiper carrément tout le monde de bougies ? Le gaz carbonique que dégagent les bougies qui se consument pollue-t-il plus ou moins l'atmosphère que les gaz dangereux contenus dans les ampoules à basse tension ? C'est ça qu'il faut voir... Non, il faut voir tout court. On n'est pas sorti de l'obscurité des cavernes pour se crever les yeux avec des putains d'ampoules à basse tension. Des lampes halogènes partout ! Vive les incendies magnifiques, à bas les veilleuses souffreteuses ! On a envie de voir ce qu'on bouffe, ce qu'on lit, ce qu'on baise ! Il n'est pas question de vivre dans une ambiance de confessionnal. J'emmerde les ours blancs, qui, eux, n'ont rien d'autre à mater qu'une conne étendue blanche sur laquelle ils n'arrivent même pas à distinguer le cul blanc de leurs congénères en voie de disparition ! Qu'importe si les glaces fondent, pourvu qu'on puisse continuer à lire de bons bouquins après le coucher du soleil !

Je crois que vous en serez d'accord, il faut brancher les couilles de l'inventeur de l'ampoule à basse tension sur le 220 volts pour voir combien de temps elles peuvent éclairer la pièce. *Amen.*

Mort aux chiottes des trains !

On regrette de ne pas avoir envie de pisser dès le départ du TGV. On sait que plus on attend avant d'aller aux chiottes, plus on a de risques d'être confronté à un étron qui, telle une apparition du monstre du loch Ness, passe le cou de la cuvette. Le chieur pudique aura recouvert son pâté de kilos de feuilles de papier rose qui s'envoleront comme des mouettes au-dessus d'une décharge dès que le sèche-mains électrique aura été mis en marche. N'oublions pas cette chaude odeur de pisse, cette pisse tropicale et pas tout à fait sèche qui colle à la semelle... Tout cela serait supportable, mais, au moment de vous laver les mains dans cette auge en Inox où s'est posée une mouette rose, vous vous apercevez trop tard qu'il n'y a pas d'eau. Trop tard, parce que, avant d'appuyer sur la pédale qui pompe la flotte, vous vous êtes consciencieusement enduit les mains avec un savon liquide bleu, très épais, poisseux. Vous croisez votre regard hébété dans la glace. L'odeur du produit d'entretien qui vous recouvre les mains vous donne des haut-le-cœur. Vous n'avez plus aucun moyen de vous en défaire. La seule solution serait de vous pisser sur les mains pour faire partir le produit, mais trop tard, c'est précisément parce que vous venez de vous vider la vessie que vous êtes comme un imbécile devant le lavabo. Alors, vous prenez des feuilles de papier toilette et vous frottez tant que vous pouvez. C'est pire que de la glu, ce machin. Ça part moyennement. Vos mains sont plus collantes qu'un papier tue-mouches. Vous retournez à votre place les doigts écartés en espérant que cette saloperie finira par s'évaporer. Tout ce que vous saisirez à partir de maintenant aura l'odeur d'un couloir de métro après le passage de l'équipe d'entretien. Votre bouquin, votre sandwich, vos lunettes, tout pue. Vous puez. Et, manque de bol, vous allez puer encore quatre heures parce que vous allez à Brest.

Je crois que vous en serez d'accord, il faut remplir la piscine du P-DG de la SNCF avec ce savon de la mort et l'y plonger tout habillé. *Amen.*

Mort à ceux qui « gèrent » !

Parmi les tics de langage insupportables, il y a « Je gère ». « Le gosse a chié dans sa couche », fait remarquer la génitrice au géniteur. « Je gère », répondra-t-il sur le ton du trader qui vient de dépasser de plusieurs milliards la limite de son découvert autorisé. Le collègue se plaint qu'il n'y a plus de café dans la machine à café : « Je gère », rassure le collègue dont c'était le tour de remplir la machine. Depuis que les gouvernements et les banques ont essayé de faire des Français des petits actionnaires plutôt que des petits épargnants, ils se sont pris au jeu. Ils ne vivent plus leur vie, ils la gèrent. D'un coup, celui qui trouvait son existence sans saveur a le sentiment de se retrouver à la tête d'une multinationale. Cela dit, si les entreprises étaient gérées par les patrons de la même manière que les gens gèrent leur vie, on connaîtrait moins souvent de crises. Lorsque la grand-mère s'engage à aller chercher les gosses à l'école, il y a des chances qu'elle tienne sa promesse. Quand un patron s'engage à ne pas licencier, on sait que tout est déjà foutu. Donc, les Français gèrent leurs douleurs articulaires, leur dépression, leurs relations amoureuses, leur lacet de chaussure qui vient de casser, la fuite d'eau dans la salle de bains. Bientôt, « Je gère » sera passé de mode et on dira de nouveau

« Je m'en occupe ». Mais, d'ici là, il faut accepter de se fader les Bernard Tapie du quotidien. Il faut écouter les victimes du libéralisme singer leurs bourreaux. On a bien envie de coller une grosse claque dans la gueule de celui qui nous assure gérer la décongélation du frigo, mais il est à craindre qu'il ne se mette dans la foulée à nous faire part de la manière dont il gère son saignement de nez.

Je crois que vous en serez d'accord, il faut enfermer ces golden boys foireux dans un coffre-fort hermétiquement clos afin de vérifier s'ils arrivent à « gérer » le manque d'oxygène. *Amen.*

Mort aux pharmaciens en blouse !

Comment ils se la pètent, les buralistes du médicament ! Enfin, certains d'entre eux, ceux qui portent des blouses blanches. Pour quoi faire, la blouse ? Pour impressionner la mémé qui vient renouveler son ordonnance d'antigel pour le cœur ? Pour effrayer le gamin qui vient acheter un bidon de lubrifiant à capotes ? Pour avoir le sentiment de faire partie du corps médical ? Oui, pour tout ça et pour plein d'autres conneries liées à l'ego démentiel de ces prétentiards. Ils font quoi, maintenant, dans leur officine, les pharmaciens, à part empiler des boîtes de médocs les unes sur les autres ? Ils traduisent les ordonnances aux clients. « Ah, ça, les médecins sont connus pour écrire comme des cochons, heureusement qu'on est là pour décrypter. » Bien sûr... Sauf que les médecins font exprès d'écrire mal pour filer un semblant d'occupation aux pharmaciens. La blouse du pharmacien n'est plus qu'un costume folklorique qui rappelle à celui qui le porte qu'il a fait des études scientifiques et que, s'il avait bossé un peu plus, il aurait pu être Dr House. Pas de bol, il est petit commerçant. L'épicier porte une blouse bleue ou grise pour ne pas se salir, le pharmacien porte une blouse blanche pour ne pas qu'on le confonde avec l'épicier. Et sur la blouse, n'oublions pas le badge avec le nom du serveur. Je veux dire, du laborantin. Ils sont deux dans la pharmacie, mais ils se sont badgés. Ils pensent que ça fait un peu clinique privée. Raté, ça fait McDo. Et, de toute façon, pourquoi aurait-on besoin de connaître le nom du pédant qui nous a vendu l'Aspegic 1 000 qui nous aide à finir l'hiver ? Pour l'inviter à boire un pot au printemps ? Rêve ! Ces gens-là ne boivent pas avec n'importe qui. Si tu es quelque chose en dessous d'adjoint au maire, ils ne te regardent même pas.

Je crois que vous en serez d'accord, il faut obliger les pharmaciens qui portent encore la blouse à la remplacer par un bleu de travail. Au moins les clients auront-ils l'impression d'avoir affaire à des gens qui travaillent. *Amen.*

Mort aux bruiteurs de documentaires !

Comment un documentaire devient-il un documenteur ? Grâce au travail des bruiteurs. Pourquoi le réalisateur d'un documentaire historique utilisant des images d'archives se sent-il obligé de faire appel à des bruiteurs ? Pourquoi juge-t-il nécessaire d'ajouter des bruits d'explosions sur les images de cet assaut de poilus ? Et aussi des cris, le tac-tac de mitrailleuses. Personne n'a encore osé ajouter le son que pouvait produire le cul d'un soldat qui meurt de trouille au moment de charger l'ennemi, mais ne désespérons pas, ça viendra. De deux choses, l'une : soit le réalisateur pense que son film est un navet sans intérêt, ce qui explique qu'il y a fait ajouter des bruitages pour lui donner un peu plus d'épaisseur ; soit le réalisateur ne fait pas confiance une seconde à la capacité de concentration du public, alors il demande qu'on fasse du bruit pour le tenir éveillé. Déjà que les documents sont en noir et blanc, alors, si en plus on n'entend pas le bruit de bottes des Allemands qui défilent sur les Champs-Élysées, ou bien le sifflement de ce biplan en perdition, ou bien encore les murmures de la foule assemblée autour de l'affiche qui annonce la mobilisation générale, le public, il décroche. Niais de public ! Les bruitages sont une insulte à l'intelligence du public. Coloriser des films d'archives pour rendre plus attrayant un documentaire provoquera un débat, voire un scandale. Polluer les mêmes films avec un habillage sonore ne dérange, semble-t-il, personne. Et, la plupart du temps, les bruitages ont été faits au rabais : vous voyez un défilé militaire à cheval, et vous entendez le trot de deux moitiés de noix de coco... Le fric que le réalisateur a foutu pour payer le demeuré qui imite le sabot du cheval, il aurait mieux fait de le mettre dans la restauration des images.

Je crois que vous en serez d'accord, il faut enregistrer les hurlements que peuvent produire un bruiteur et son employeur plongés dans de l'huile bouillante. On se servira du résultat pour doubler les foules nazies acclamant Hitler. *Amen.*

Mort aux mal rasés !

La mode passera, la mode est en train de passer. Mais, en attendant, on est confronté à une bande de nazis à barbes hirsutes et à cheveux en pétard. Des nazis cool. Pourquoi nazis ? Parce que, lorsque la moitié de la population mâle d'un pays adopte le même look, c'est le signe que la période est propice à l'avènement d'un régime totalitaire. Si demain la mode imposait le cheveu ras teint en blond, plus de citoyens se rendraient compte du danger qui nous guette. Le look négligé n'est pas, comme certains le croient, l'opposé d'un look propret. Du moment que tout le monde porte le même uniforme, quel qu'il soit, la société est mal barrée. Les pauvres glandus qui se taillent avec précision la barbe tous les matins de telle sorte qu'elle passe pour une barbe de trois jours font presque plus de peine qu'ils agacent. Tout ce temps perdu pour simplement avoir une tête de con. Non, la barbe de trois jours ne va pas à tout le monde. Pas plus que le cheveu mi-long en vrac. Quelle misère de voir des presque chauves ramener en choucroute sur un front trop grand un poil triste et filasse. Figurez-vous une ampoule électrique sur laquelle on aurait scotché un échantillon de poils de poney shetland. Leur volonté de se fondre dans le groupe dominant fait qu'on les remarque encore plus que s'ils n'avaient pas cédé au diktat de la mode. Dans deux ou trois ans, quand cette manie du papier de verre au menton et de la touffe sur la tête sera passée, je connais un paquet de pauvres types qui vont se sentir soulagés. Le bizutage sera terminé. Le malheur, c'est qu'ils seront probablement confrontés à une nouvelle épreuve. En espérant que cette fois la mode n'oblige pas les laids à l'être encore plus. Avec un peu de chance, c'est l'acné qui sera au top du cool. Si vous voyez un animateur de Canal+ avec les joues en foie de veau, cessez de vous percer les boutons, vous êtes à la mode !

Je crois que vous en serez d'accord, il faut raser ces petits soldats de la branchitude avec un épluche-légumes rouillé de manière que les croûtes remplacent les poils. *Amen.*

Mort aux serveurs sexistes !

Faites l'expérience, ça ne vous coûtera pas cher. Allez boire un verre en couple à la terrasse d'un café. Attention, le couple doit impérativement être composé d'un mâle et d'une femelle. En revanche, peu importe que vous ayez affaire à un serveur ou à une serveuse. Comme nous allons le démontrer, le sexisme est unisexe. Commandez une bière et un café. Vous constaterez que la bière sera déposée devant le mec et que le café le sera devant la nana. Refaites l'expérience autant de fois que vous le voudrez, neuf fois sur dix, le verre d'alcool sera pour l'homme. Parce que ? Parce que l'alcool est une boisson d'homme ! Qui c'est qui rentre soûl du boulot ? C'est maman ? Non, c'est papa ! Maintenant, commandez deux bières : une bière brune et une bière blonde. Qui aura la blonde ? La gonzesse, bien sûr ! La bière brune est plus forte, plus amère, plus poilue, quoi... De toute façon, à degré d'alcoolémie égal, la boisson la plus sombre sera toujours présentée au mec. Le noir est une couleur virile, mystérieuse, associée à l'impureté aussi. La fille est transparente, douce, immaculée. Il vous reste des sous ? Bon, alors commandez un café et un thé. Ça marche aussi avec des boissons sans alcool. Le café, c'est plus costaud que le thé, c'est le garçon qui y aura droit. La pisse d'âne au goût de flotte, c'est un truc de fillette. Combien faudra-t-il encore de siècles pour que ce genre de préjugés soit définitivement rangé au musée de la Connerie ? Les scientifiques qui ont étudié le personnel travaillant dans les bars sont peu confiants. L'évolution des espèces fera que l'homme aura des cacahuètes grillées à la place des burnes, un cure-dents à la place du zob, tandis que sa femelle aura un dé à coudre à la place du vagin et des rustines à la place des seins. La seule chose qui ne mutera pas, c'est le réflexe sexiste.

Je crois que vous en serez d'accord, il faut couper les couilles aux garçons de café et les servir en infusion aux barmaids. *Amen.*

Mort aux jeunes pères !

La jeune mère, elle, est adorable. Encore gonflée comme un soufflé dont on se demande s'il retombera un jour, elle est radieuse, souriante, épanouie. Elle le voulait, ce bébé, elle l'a. Bonheur. Elle a été dressée pour ça depuis toute petite ; son rêve s'est réalisé. Elle ne fait plus chier personne avec son désir d'enfant. Il n'en est pas de même avec le jeune papa. Il surjoue. Il surjoue la joie d'être père. On dirait un acteur de Plus belle, la vie. On n'y croit pas. Et, à force de le voir surjouer, on en vient à se demander s'il ne cache pas quelque chose de grave. Le gosse a une leucémie ? Il est autiste ? Il lui manque un bout ? Il n'est pas de lui ? Rien de tout ça. S'il surjoue, le papa heureux, c'est qu'il est en pleine dépression. Lui n'est pas absolument persuadé que la chose qu'il désirait le plus au monde, c'était de devenir père. Il doute, mais il n'a pas le droit de le montrer. Ça ne se fait pas. Les amis, les parents, la belle-famille ne comprendraient pas. Regretter d'avoir participé à la conception d'un môme fraîchement pondu, c'est un coup à se retrouver au ban de l'humanité. Pour se convaincre lui-même de son incroyable chance d'être papa, il devient agressif avec les jeunes mâles de son âge qui revendiquent haut et fort le fait de ne pas vouloir d'enfant.

Merde ! La normalité, c'est quand même lui ! Les monstres asociaux, ce sont tous ces cons qui prétendent être heureux sans être pères ! Il voudrait que ses copains le rassurent en le jalousant. Mais il sait bien que tous ces salauds qui le félicitent sont contents que la cigogne n'ait pas lâché le paquet à leurs pieds. Ils n'ont pas un boulet de 3,2 kg à la cheville... Encore plusieurs fois, le jeune papa aigri essaiera de persuader ses potes qu'ils ont raté leur vie. Et puis, sans être malheureux, il se résignera à n'être pas heureux.

Je crois que vous en serez d'accord, il faut obliger les jeunes papas à prendre du LSD les vingt premières années afin qu'ils restent fréquentables pour l'entourage. *Amen.*

Mort aux croissants au beurre !

C'est très bon, les croissants au beurre. Je n'ai rien contre le croissant au beurre. Mais il faut bien regarder les choses en face : comme Cro-Magnon a eu la peau de Neandertal, le croissant au beurre a eu la peau du croissant ordinaire. Je ne sais pas en quelle année est apparu le croissant au beurre, mais cet événement a marqué le début du lent déclin du croissant ordinaire. « Si les croissants ordinaires disparaissent des boulangeries, c'est parce que les clients n'en réclament plus », affirment les boulangers. Hypocrites ! C'est parce que les boulangers ont cessé de fabriquer de l'ordinaire qu'on prend des au beurre ! La vérité, c'est que le croissant ordinaire a été exécuté dans les caves sombres des boulangeries parce qu'il rapportait moins que son cousin au beurre. Le croissant au beurre est vendu plus cher que l'ordinaire. Vu les kilos de gras dont on le bourre, on peut se dire que c'est justifié. Mais pourquoi se priver du croissant ordinaire ? Le beurre et l'ordinaire, c'est deux saveurs différentes... Sans doute, mais impossible de vendre au même prix un produit qui s'appelle « ordinaire » et un produit qui s'appelle « au beurre ». Les boulangers qui ont fait l'expérience ont constaté que, pour le même prix, les clients préféraient se payer le luxe d'un au beurre. Réaction imbécile, mais qui est le résultat du discours libéral qu'on nous fait subir tous les jours partout : à prix égal, prenez le plus cher ! Une des solutions possibles serait de rebaptiser le croissant ordinaire en croissant de luxe et de le vendre plus cher que le croissant au beurre. Faire du croissant ordinaire une viennoiserie super-branchée, voilà peut-être le moyen de le sauver. Bon, honnêtement j'aurais honte pour le boulanger qu'il me prenne à ce point pour une truffe, et son croissant de luxe, je le lui mettrais profond.

Je crois que vous en serez d'accord, il faut confire de beurre les boulangers qui assassinent le croissant ordinaire et les noyer dans une bassine de café bouillant. *Amen.*

Mort aux injonctions écrites à la première personne !

Un panneau d'interdiction, c'est laid. Une cigarette barrée d'un trait rouge, le tout accompagné de ce commentaire : « Interdit de fumer », c'est lourdaud. Mais, au moins, ça a le mérite d'être clair. Le message n'a rien de poli, ni de sympathique, mais on ne lui demande rien d'autre, au message, que d'être informatif. OK, on sait qu'il ne faut pas faire telle chose à tel endroit. Je ne suis pas un demeuré, je sais que pour vivre en société il faut des règles, j'ai juste besoin qu'on me fasse savoir lesquelles, à charge pour moi, en connaissance de cause, de les respecter ou non. Une mode est en train de se développer en ce moment à Paris, c'est le panneau d'interdiction rédigé à la première personne. Sur les bus, sur les portes des rames de métro, sur les Vélib' et sans doute ailleurs, on peut lire des « Je ne fais pas ci » ou des « Je ne fais pas ça ». « Je valide mon titre de transport », « Je ne monte pas par cette porte », « Je laisse descendre les gens avant de monter », « Je ne roule pas sur les trottoirs », « Je respecte les feux rouges »… Paris est une vaste école maternelle pour benêts. C'est du moins ce qu'indiquent ces panneaux grotesques. Tellement grotesques que la couleur rouge de l'interdit a, dans la plupart des cas, été remplacée par une bouillasse arc-en-ciel. Il faut faire joli, on s'adresse à de grands enfants retardés. Il ne faut pas les braquer, sinon ils ne se soumettront pas à l'interdit. Ce paternalisme dégoulinant est haïssable, cette pédagogie pour vers de terre est odieuse. Sur les toilettes publiques, attendons-nous à voir fleurir des sentences telles que « Je ne fais pas pipi dans ma culotte » ou « Je ne fais pas caca sous une porte cochère ». Et à l'entrée du stade : « Je suis un bon supporteur parisien, je ne fais pas le salut hitlérien. »

Je crois que vous en serez d'accord, il faut tatouer sur le front des tordus qui rédigent ces panneaux : « Je me prends pour votre maman, pétez-moi les dents. » *Amen.*

Mort aux doudous !

Soudain, les conversations s'arrêtent, la vie se fige. On n'entend plus que le gamin beugler. Il a perdu son doudou. Panique chez les parents : « S'il n'a pas son doudou, il ne peut pas s'endormir, s'il n'a pas son doudou, il ne voudra pas manger, s'il n'a pas son doudou, il va rater son bac... Où qu'il est, le doudou, bordel ! » Pour les amis qui assistent à la scène, l'affolement des parents semble disproportionné. Ce qu'ils appellent le doudou n'est après tout qu'un vieux slip du père imprégné de bave, de glaires et de différents échantillons de petits pots. On devrait le repérer facilement, le doudou, avec sa longue traînée de purée de carotte orange fluo. Les amis sont priés à peine poliment de lever leur gros cul du canapé afin qu'on regarde si le doudou n'est pas sous un coussin. Y est pas. L'est nulle part. Les parents commencent à s'engueuler. Ils ne sont pas d'accord sur la répartition des rôles. Il y en a un qui devait surveiller bébé, tandis que l'autre devait avoir un œil sur le doudou. Oui, mais lequel avait la garde du doudou ? Les amis sont totalement zappés. Les amis s'interrogent du regard : si on se casse, on se casse tous ensemble, hein ? Pendant ce temps-là, la mère est en train de chercher dans l'endroit le plus improbable pour un doudou : la machine à laver. Un doudou, ça ne se lave qu'une fois tous les dix ans. La bonne vieille odeur de vomi rance, ça rassure bébé. C'est son odeur à lui. Vous comprenez ? Personne n'est plus là pour comprendre quoi que ce soit, les amis sont partis bouffer une pizza en ville. Ce n'est qu'au bout de trois heures de recherche que le père mettra la main sur le doudou. Ce matin, en se levant, il a pas fait gaffe et il a enfilé le slip-doudou. Soulagement du papa. Inquiétude de la maman : bébé reconnaîtra-t-il l'odeur de son doudou ?

Je crois que vous en serez d'accord, il faut constituer une pyramide avec tous les doudous du pays et y foutre le feu. On verra à cette occasion que les bébés ne tiennent pas tant que ça à leur doudou. Très peu se jetteront dans les flammes pour récupérer le leur. *Amen.*

Mort aux radins de l'amour !

Ça ne fait pas bien longtemps que vous le ou la connaissez (cette chronique étant unisexe, merci de l'adapter en fonction de votre appartenance et de votre orientation sexuelle), mais vous avez envie de lui bouffer le cul et un peu d'autres trucs aussi. Passons sur les détails, vous êtes arrivé à vos fins et disons que ça s'est bien passé. Bisou-bisou sur le pas de la porte, vous promettez de vous revoir, et là, comme un con (ou une conne), vous lui dites : « Je t'aime. » La gaffe. C'est pas vraiment que la formule vous a échappé, non, vous le pensez vraiment. Là, maintenant, après ce qui s'est passé entre vous et avec le peu de ce que vous connaissez de votre partenaire, vous avez eu envie de lui dire sincèrement ce que vous éprouviez. Votre ex et éphémère conquête (après votre malheureuse sortie, vous ne la reverrez plus) tire une gueule pire que si vous lui annonciez que vous avez le sida et que la capote était trouée. Après une bonne baise, il vaut mieux dire « Va te faire foutre, minable, tu niques comme une lampe de chevet » que « Je t'aime ». Lorsque vous dites « Je t'aime », l'autre entend : « Je voudrais faire ma vie avec toi, tout partager avec toi jusqu'à ce que le réchauffement de la planète nous sépare. » Je t'aime, c'est plus que trois mots. Je t'aime, c'est une clé USB qui contient des milliers de pages d'un contrat pervers et retors où tout est écrit en cyrillique. Je t'aime, c'est un engagement total et définitif, c'est une demande en mariage. On ne peut pas s'aimer pour un instant. Enfin, si, on peut, mais il ne faut pas le dire. Aimer implique la perpétuité. Aimer, c'est grave. Si on dit « Je t'aime » à tout le monde, c'est qu'on n'aime personne, pense le semi-légume conditionné par les feuilletons télé à qui vous venez benoîtement d'avouer vos sentiments.

Je crois que vous en serez d'accord, il faut empaler ceux qui gèrent leurs émotions et leurs « Je t'aime » comme s'il s'agissait d'inestimables valeurs boursières. *Amen.*

Mort à ceux qui ont peur de mourir !

J'ai peur de la mort, je veux pas mourir et gnagnagna... Non, mais quelle prétention ! Et pourquoi tu ne mourrais pas comme tout le monde ? Qu'est-ce qu'elle a de si extraordinaire, ta vie, pour que tu t'y accroches comme un morpion ? T'en as qu'une, on le sait que t'en as qu'une ! Pourquoi il t'en faudrait plus ? Pour vivre une deuxième fois les conneries que tu as déjà vécues une fois et pour à la fin pleurnicher de nouveau que tu ne veux pas disparaître ? Mauvais joueur ! À chaque tour de manège, t'es du genre à vouloir décrocher la queue du Mickey, toi, sinon tu piques une crise ! Il faut grandir, mon vieux, et, oui, mourir. Que tu aies peur du moment qui précède la mort, je veux bien, il y a des agonies qui ne sont pas rigolotes, mais, avec une bonne piquouse dans les miches, maintenant, tu ne te rends compte de rien. Tiens, t'as eu mal au ventre avant l'oral du bac ? Eh bien, la mort ne devrait pas t'effrayer plus qu'un oral du bac. Et dans le bac, ce qu'il y a d'angoissant, c'est qu'on peut le rater, alors qu'avec la mort, pas de surprise, on est sûr de l'avoir. C'est ce saut dans l'inconnu qui te fout les jetons ? Mais le néant, ce n'est pas l'inconnu, c'est le néant. Le néant, c'est, comment te dire ? Tu vois ton boulot à la poste ? Bon, bah, c'est pareil en moins chiant. Et puis, ta vie, je te rappelle, tu l'as eue gratos. Quand tu tombes sur un billet de 100 euros dans la rue, tu l'empoches et tu fermes ta gueule. Au moment où tu le ramasses, tu penses déjà à la manière dont tu vas le dépenser, non ? Tu sais très bien que le billet ne sera pas éternel et tu l'acceptes. Ta vie, c'est ce billet de 100 euros. Disons 500, si ça peut te faire plaisir. Et encore, la vie, tu n'as même pas eu à faire l'effort de te baisser pour la ramasser. Feignasse !

Je crois que vous en serez d'accord, il faut pousser au suicide celui qui a peur de la mort en ne lui projetant du film de sa vie que les scènes où il fait la vaisselle. *Amen.*

Table des matières

Achevé d'imprimer en Italie par Grafica Veneta
en février 2015
Dépôt légal septembre 2012
EAN 9782290054109
OTP L21ELLN000451A007

Ce texte est composé en Lemonde journal et en Akkurat

Conception des principes de mise en page :
mecano, Laurent Batard

Composition : NORD COMPO

ÉDITIONS J'AI LU
87, quai Panhard-et-Levassor, 75013 Paris
Diffusion France et étranger : Flammarion

Librio

1050